U0644618

世界名著好享读（原版插画典藏版）

南来寒 主编

鹅妈妈童谣与童话故事集

［美］亨利·阿尔特姆斯 编著

张玉亮 译

人民东方出版传媒

東方出版社

图书在版编目（CIP）数据

鹅妈妈童谣与童话故事集 /（美）亨利·阿尔特姆斯编著；南来寒主编；张玉亮译.
—北京：东方出版社，2017.4
（世界名著好享读）
ISBN 978-7-5060-5837-7

Ⅰ.①鹅… Ⅱ.①亨… ②南…③张… Ⅲ.①儿童故事—作品集—世界 Ⅳ.①I18

中国版本图书馆CIP数据核字（2017）第088734号

鹅妈妈童谣与童话故事集

（EMAMA TONGYAO YU TONGHUA GUSHIJI）

[美] 亨利·阿尔特姆斯 编著　南来寒 主编　张玉亮 译

策划编辑：鲁艳芳
责任编辑：张　琼
装帧设计：飛鸟装帧设计 15810133062
出　　版：東方出版社
发　　行：人民东方出版传媒有限公司
地　　址：北京市东城区东四十条113号
邮政编码：100007
印　　刷：北京汇林印务有限公司
版　　次：2017年11月第1版
印　　次：2017年11月北京第1次印刷
开　　本：880毫米×1230毫米 1/32
印　　张：8.25
字　　数：157千字
书　　号：ISBN 978-7-5060-5837-7
定　　价：42.00元
发行电话：（010）85924663 85924644 85924641

杰克修了一座房

老奶奶终于回到了自己温暖的家

灰姑娘为继母的女儿梳头发

小红帽脱了外套走向外婆，她觉得外婆看起来很奇怪

从此，杰克和美丽的妻子过上了幸福的生活

洗礼仪式那天，国王请来七位仙女为女儿送上最美好的祝福

重寻名著阅读的愉悦和享受

直到现在，我仍然不会忘记小时候读的第一本世界名著——《安徒生童话》。那时候，丑小鸭不同寻常的经历，总是让我心潮澎湃；寻找钟声的王子和穷人家的孩子那份对美好的向往和执着追求，更是让彼时稚嫩的我热血激荡……每一个奇妙曲折的小故事，都会带我走进一个不一样的世界，从那时起，我就开始一本接一本地读起了名著，它们就像是有一种让人难以自拔的魔力。名著里的那些故事，虽来源于我们的生活，但经过大师们的演绎之后，又将一个个我们意想不到的画面呈现在我们面前，充满了无穷的想象力。

童年的阅读经历对我的成长起到了至关重要的作用，所以我想让现在的孩子们像那时的我一样，能够同样获得美妙的阅读体验，将那些充满奇幻色彩和诗情画意的故事一代代传承下去。

然而，犹记得，我孩童时代的名著图书，几乎没有什么插图，封面和装帧设计也乏善可陈。如今的孩子，阅读的可选择面广阔多了，很多时候，阅读变成了老师的作业、父母的安排！如何让当下的孩子们重拾我当年阅读名著时的愉悦和享受，让他们发自内心地去阅读、去探究，成了我念兹在兹的一种理想。

基于这个纯粹而又迫切的初衷，经和东方出版社编辑鲁艳芳女士协商，策划了这套“世界名著好享读”系列图书，将一些真正适合孩子们阅读的名著翻译出版，作为一份迟来的礼物献给孩子们，希望还赶得及填补那一块为名著而预留的阅读空白。

这套“世界名著好享读”丛书，涵盖了童话、寓言、诗歌、小说和历史知识等不同内容和体裁，包含了亲情、自然、探险和历史等不同题材的作品，意在让孩子们获得全方位的阅读体验。一直以来，我都秉承尊重原著的原则，所以这套书的底本均选用了美国长期从事经典名著出版的亨利·阿尔特姆斯出版公司的原版初印权威版本，相信这对于每一个渴望阅读的孩子来说，都将是一场愉悦身心的文学盛宴。

在这套图书中，《安徒生童话》《格林童话》《伊索寓言》这些耳熟能详的童话寓言故事，会让孩子们初识社会，了解人性的善恶、美丑、真伪；《爱丽丝漫游仙境》《爱丽丝镜中奇遇记》《沉睡的国王》将带孩子们一次次进入梦幻之乡，让他们的想象力得到大幅提升；《海角乐园》《冰海惊魂》《哥伦布发现美洲》会携孩子们进入开拓探险的世界，告诉他们什么是坚韧，如何变得更勇敢。至此，请原谅我，将好东西藏在了后面，那就是在这套书中，我将遗失已久、几代人都无缘读到的名著——《穆福太太和她的朋友们》《图茜小姐的使命》《狐狸犬维克的故事》千方百计地寻觅出来，其中所经历的艰辛在此我不加赘述，我只想借由这三本书此次的重磅登场，让孩子们幸运地重新亲近这些顶级的作家和他们的作品。最后，我当然也不会辜负那些喜爱戏剧的孩子，在这样的精神大餐中怎么能缺少戏剧界的旷世奇才——莎翁的作品呢？为了降低阅读难度，我特意选取了英国著名作家查尔斯·兰姆和他姐姐共同改编的《莎士比亚戏剧故事集》，让孩子们可以无障碍地步入莎翁的世界。

好了，喜爱精美插画的孩子们，先别着急，我并没有忘记要满足你们这个合情合理的需求。我深知，优秀的插画除了要有色彩、线条、构图的外在形式美之外，更重要的是要具备作品内容所呈现出的内在意蕴美。“世界名著好享读”系列图书是我从事图书策划工作以来整理的插画量最大的一套书，其中很多种图书的插画量达到一百多幅，更有甚者，《鹅妈妈童谣与童话故事集》的插画量竟达到了近二百幅，堪称名著的绘本版了。此外，为了完美彰显名著的神韵，书中所使用的每一幅插图都经过了细致入微的修复。海量的插画并没有成为文字的“附庸”，这些来自不同画家的手绘插画或者版画丰富了文字的内涵，对孩子们来说也是一种美育熏陶的过程。所以说，这不仅是一场阅读的狂欢，更是一次审美的嘉年华。

接下来，我要做的，只是把孩子们引领到安徒生、莎士比亚、史蒂文森、约翰·班扬、刘易斯·卡罗尔、霍桑……这些大师、巨匠身边，互作介绍以后，就安静地离开，就像钱理群先生说的：“让他们——这些代表着辉煌过去的老人和将创造未来的孩子在一起心贴心地谈话。”

那么，孩子们，接下来那些愉悦和享受的阅读时刻，就留给你们了。

稻草人童书馆总编辑 南来寒

二〇一六年八月于广州

·目录·

童 谣

水仙小姑娘，
来到小镇上。
黄色裙儿随风扬，
绿色礼服闪光芒。

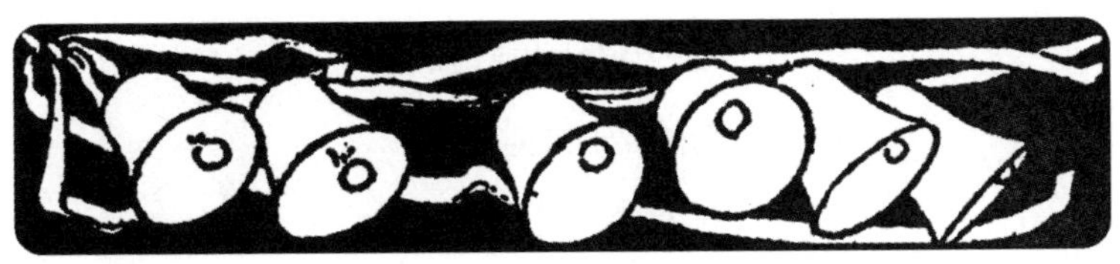

木马转，木马跑，
木马载我来到小街上。
木马摇，木马跳，
班伯里街口有个好姑娘。
白马奔，白马叫，
姑娘骑着白马把街绕。
木马追，白马跑，
姑娘戒指上的铃铛可真妙。
白马鸣，木马笑，
姑娘的歌声一路飘。

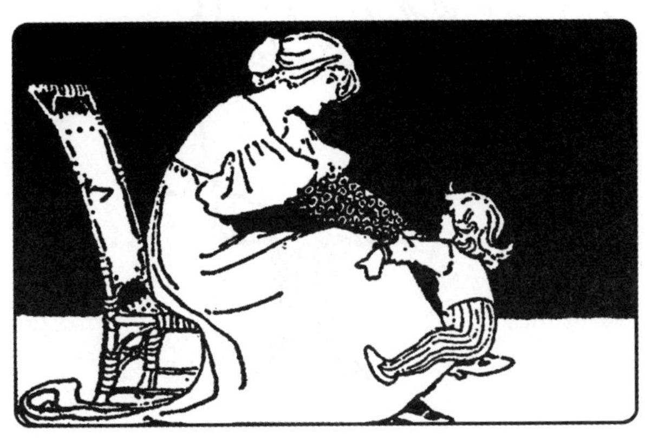

小小花园满地爬，
玛丽玛丽你忙啥？
春来雨多下种忙，
秋到丰收过冬长。
海扇贝壳银铃铛，
耧斗菜儿长得旺。

风儿静，月儿明，
宝贝入睡要安静。
虫儿叫，鸟儿鸣，
伦敦商人长得行。
绯红衣裳真喜庆，
细丝衣领金边缝。

小小勇士布鲁尔，号角吹得多嘹亮。
雪白绵羊草中藏，肥壮奶牛吃草忙；
放羊孩子在哪里？干草窝中睡得香。
天快要黑多危险，叫醒娃娃怎么样？
不叫不叫才不叫，娃娃醒了哭又闹。

汪汪狗儿齐声叫，
乞丐来到市镇上，
汪汪汪！
衣衫褴褛惹人疼，
汪汪汪！
穷困潦倒心忧伤，
汪汪汪！
突然发现新情况，
有人华服还在身上。

小小威利·温克尔，
性格活泼又善良。
风儿轻轻星闪闪，
威利不睡到处忙。
敲击窗户轻声喊：
小娃娃们睡着了？
八点早该进梦乡！

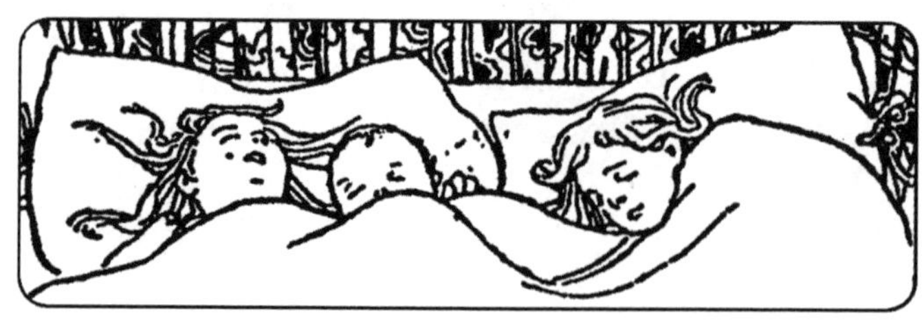

哗啦啦，哗啦啦，
海上波浪开了花。
哗啦啦，哗啦啦，
谁坐盆里笑哈哈？
笑哈哈，笑哈哈，
愚人村中学究仨，
你争我抢把话放，
如果大盆够坚固，
这首诗就没头啦！

圣诞的白鹅长得壮，
您可有一便士赏我？
原来你没有一便士，
那半个便士总有吧？
半个便士也拿不出，
快求求上帝保佑吧！

美丽的鬈发姑娘

美丽的姑娘头发长长，
漂亮的辫子金光亮亮，
可爱的上帝谢您恩赏，
可爱的人儿我定珍藏。
绣花和品尝交给姑娘，
洗碗与养猪让我来忙。

小小宝贝丢失羊

羊倌今天把羊放，
羊儿调皮踪迹藏。
羊倌泪流把心伤。
宝贝宝贝你别哭，
羊会回来把家住。

羊倌安心进梦乡，
梦中小羊把歌唱。
突然惊醒泪水凉，
小羊仍然在流浪。

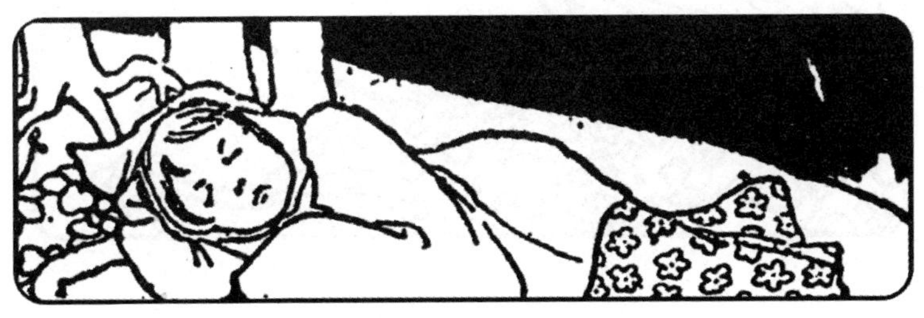

羊倌心急上路忙，
手拿羊鞭意志强。
天苍苍，野茫茫，
小羊到底哪儿藏？
寻觅羊踪心慌慌，
只见羊尾在树上。

羊倌缓缓近前望，
只有羊尾排排行。
高悬树枝说悲伤，
羊倌悔恨满心房，
胸怀痛苦欲断肠。

BP
BP

杰克·斯普拉特

杰克不喜肥肉块，
乔安讨厌瘦肉条，
两人互换刚刚好，
盘光碗净吃得饱。
杰克吃掉瘦肉条，
乔安享用肥肉块，
吃完骨头剩下来，
喂给猫咪小可爱。

杰克今天去赶集，
推车快跑不沾地。
咕咚一声磕得响，
妻子乔安不见了。

杰克回神心焦急，
我妻乔安在哪里？
杰克杰克你别慌，
我在渠中爬岸忙。

麦儿黄，收麦忙，
乔安收麦把酒酿。
花儿美，酒儿香，
酿酒却把麦芽忘。
天儿久，日子长，
酒中无麦醉难享，
杰克调侃把歌唱。

无知西蒙

无知西蒙闲晃荡，
遇见赶集的卖饼商，
西蒙上前忙说：
饼儿让我尝一尝。

商人不慌也不忙，
先看西蒙便士哪里藏，
西蒙呆呆把饼望：
口袋空空无钱装。

无知西蒙想垂钓，
欲把鲸鱼网中套。
鲸鱼本该海中捞，
西蒙却在桶中找。

西蒙心中愿望小，

蓟间李子滋味妙。
西蒙无畏向前闯，
手上刺儿无法挑。
可怜痛哭呜呜叫。
没有常识真不好，
小朋友们要记牢：
吃饼要把钱兜带；
鲸鱼要去海里找；
至于带刺小果子，
小心摘下才最好。

船儿扬帆待起航

船儿起程把帆扬，
广阔海面驰骋忙，
载满货物要远航，
奇珍异宝装满舱。

美味糖果船中藏，
新鲜苹果待品尝，
丝绸织就白船帆，
金子打造硬桅杆。

二十四名水手站，
甲板随处都可见。
全部都是白老鼠，
粗重锁链挂颈间。

英勇鸭子做船长，

身穿夹克气昂扬；
船儿破水正起航，
船长高喊士气涨。

杰克的小屋

杰克修了一座房，
房里麦芽排成行。
所藏麦芽滋味香，
小小老鼠偷吃忙。

杰克修了一座房，
房里麦芽排成行。
所藏麦芽滋味香，

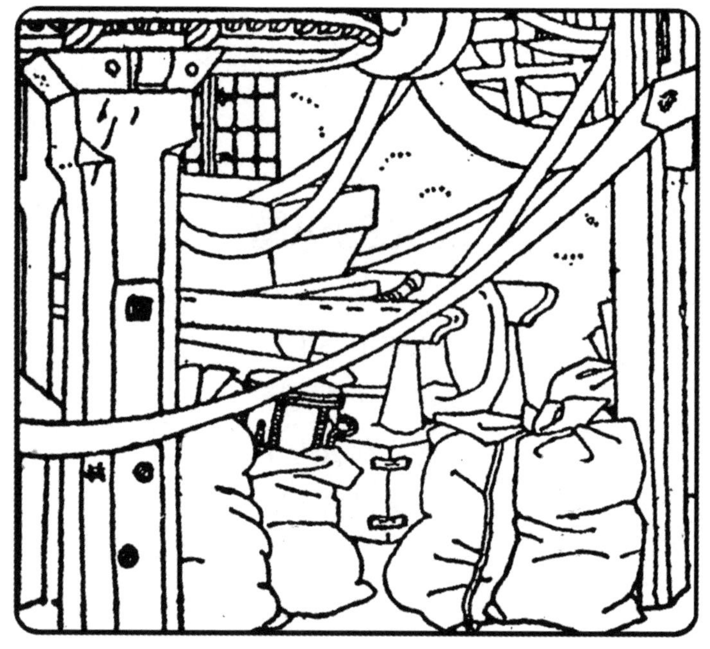

小小老鼠偷吃忙。
小鼠踪迹难掩藏，
猫咪捕鼠乐陶陶。

杰克修了一座房，
房里麦芽排成行。
所藏麦芽滋味香，
小小老鼠偷吃忙。
小鼠踪迹难掩藏，

猫咪捕鼠乐陶陶。
大狗见猫心激昂，
上蹿下跳追它忙。

杰克修了一座房，
房里麦芽排成行。
所藏麦芽滋味香，
小小老鼠偷吃忙。
小鼠踪迹难掩藏，
猫咪捕鼠乐陶陶。
大狗见猫心激昂，
上蹿下跳追它忙。
壮硕大牛好心肠，
顶走大狗心欢畅。

杰克修了一座房，
房里麦芽排成行。
所藏麦芽滋味香，
小小老鼠偷吃忙。
小鼠踪迹难掩藏，
猫咪捕鼠乐陶陶。
大狗见猫心激昂，
上蹿下跳追它忙。
壮硕大牛好心肠，
顶走大狗心欢畅。
孤单少女心善良，
帮助奶牛挤奶忙。

杰克修了一座房，
房里麦芽排成行。
所藏麦芽滋味香，
小小老鼠偷吃忙。
小鼠踪迹难掩藏，
猫咪捕鼠乐陶陶。
大狗见猫心激昂，
上蹿下跳追它忙。
壮硕大牛好心肠，

顶走大狗心欢畅。
孤单少女心善良，
帮助奶牛挤奶忙。
身穷志坚男子汉，
轻轻亲吻好姑娘。

杰克修了一座房，
房里麦芽排成行。
所藏麦芽滋味香，
小小老鼠偷吃忙。
小鼠踪迹难掩藏，
猫咪捕鼠乐陶陶。
大狗见猫心激昂，
上蹿下跳追它忙。
壮硕大牛好心肠，
顶走大狗心欢畅。
孤单少女心善良，
帮助奶牛挤奶忙。
身穷志坚男子汉，
轻轻亲吻好姑娘。
可爱神父忙修饰，
主持仪式婚礼棒。

杰克修了一座房，
房里麦芽排成行。
所藏麦芽滋味香，
小小老鼠偷吃忙。
小鼠踪迹难掩藏，
猫咪捕鼠乐陶陶。
大狗见猫心激昂，
上蹿下跳追它忙。
壮硕大牛好心肠，
顶走大狗心欢畅。
孤单少女心善良，
帮助奶牛挤奶忙。
身穷志坚男子汉，

轻轻亲吻好姑娘。
可爱神父忙修饰，
主持仪式婚礼棒。
公鸡打鸣准时响，
神父洗漱水波荡。

杰克修了一座房，
房里麦芽排成行。
所藏麦芽滋味香，
小小老鼠偷吃忙。
小鼠踪迹难掩藏，
猫咪捕鼠乐陶陶。

大狗见猫心激昂，
上蹿下跳追它忙。
壮硕大牛好心肠，
顶走大狗心欢畅。
孤单少女心善良，
帮助奶牛挤奶忙。
身穷志坚男子汉，
轻轻亲吻好姑娘。
可爱神父忙修饰，
主持仪式婚礼棒。
公鸡打鸣准时响，
神父洗漱水波荡。
辛劳农夫忙种地，
收获玉米养公鸡。

小小蛙儿闯天涯

小小青蛙胆气壮，
一颗孤胆闯天涯。
不论遇啥也不怕，
只身离去劝不下。

帅气帽儿戴脑瓜，
笑逐颜开乐开花。
路上遇到好朋友，
旅途欢乐笑哈哈。

“上帝仁慈把光辉洒，
鼠先生可愿一同走，
一起去到鼠小姐家，
喝壶小酒说会儿话？”

漫长的路途歌嘹亮，

很快来到了鼠儿房，
咚咚用力把门拍响，
两人的行踪无法藏。

“感恩上苍的垂怜，
鼠小姐可否应一声？”
“我正安稳家中坐，
手握纱线织彩虹！”

“感恩上苍的垂怜，
蛙先生可愿把歌喉展？
曲儿虽短却扣心弦，
令你我倾心不能忘。”

“我全心全意把歌唱，
疲惫的歌声不嘹亮。”
“虽然患病唱歌难酣畅，
但动听的歌儿永不忘。”

跌宕的旋律惹人醉，
危险却在悄然来到。

一只敏捷的大母猫，
带着孩子正往近靠，
小鼠不及挣扎便把命丧，
鼠小姐很快也魂飘荡。

小小蛙儿夺路逃，
险境之下心苍茫，
路上摘下戏剧帽，
心为朋友祷告忙。

蛙儿匆匆把溪水蹚，
潺潺的溪流在流淌，
雪白的鸭儿经此过，
一口吞下蛙儿把肚皮装。

可怜蛙儿鼠儿鼠小姐，
接二连三上了天堂，
离开尘世的漫长路上，
手拉手儿再把歌儿唱。

烈火呀！烈火！去烧棍子吧！

从前，有一位迟暮之年的老奶奶，她在慢腾腾地打扫自己温暖的家。忽然，她发现了一枚弯曲的六便士硬币。“咦？这是什么？”她喃喃自语道，“原来是一枚硬币呀……那我该怎么花掉这六便士呢？我想，我应该去趟繁华的集市，然后买一头肥壮的小猪！”当她从集市买完小猪，在回家的漫漫路途中要走一段高耸的阶梯，这时有趣的一幕发生了：这头懒惰的小肥猪哼哼唧唧地怎么都不愿迈上去。

老奶奶颤颤巍巍地向前走了几步，遇到了一只雄健的狗。于是她对狗说："雄健的狗哇！帮我去咬那头小肥猪吧！如果那懒惰的小肥猪再不肯迈上台阶的话，我这个可怜的老太婆哟，今晚恐怕就无法回到我那温暖的家了呀！"但是这只雄健的狗摇了摇尾巴，怎么也不肯去。

老奶奶又颤颤巍巍地往前走了几步，遇到了一根长长的棍子。于是她对棍子说："长长的棍子呀！帮我去打那只雄健的狗吧！如果狗不去咬那头小肥猪，那头懒惰的小肥猪就不肯迈上台阶，我这个可怜的老太婆哟，今晚恐怕就没法儿回到我那温暖的家了呀！"但是这根长长的棍子跳来跳去的，怎么也不肯去打狗。

老奶奶又颤颤巍巍地往前走了几步，遇到了一堆燃烧得很旺的烈火。于是她对烈火说："炙热的火焰哪！帮我去烧了那根长长的棍子吧！如果棍子不肯去打那只雄健的狗，狗就不肯去咬那头小肥猪，那头懒惰的小肥猪就不肯迈上台阶，我这个可怜的老太婆哟，今晚恐怕就没法儿回到我那温暖的家了呀！"但是这堆烧得很旺的烈火舞动着火苗，怎么也不肯去。

老奶奶又颤颤巍巍地往前走了几步，遇到了一潭清水。于是她对清水说："多么清澈的水呀！帮我去扑灭那烧得炽热的火焰吧！那堆火焰不肯去烧那根棍子，长长的棍子就不肯去打那只雄健的狗，狗就不肯去咬那头小肥猪，那头懒惰的小肥猪就不肯迈上台阶，我这个可怜的老太婆哟，今晚恐怕就没法儿回到我那温暖的家了呀！”但是这潭清澈的水泛着波光，怎么也不肯去。

老奶奶又颤颤巍巍地往前走了几步，遇到了一头健壮的公牛。于是她对公牛说：“健壮的公牛呀！帮我去喝了那潭清水吧！那潭清水不肯去扑灭那烧得很旺的火焰，火焰不肯去烧那根棍子，长长的棍子就不肯去打那只雄健的狗，狗就不肯去咬那头小肥猪，那头懒惰的小肥猪就不肯迈上台阶，我这个可怜的老太婆哟，今晚恐怕就没法儿回到我那温暖的家了呀！”但是这头健壮的公牛“哞哞”地叫着，怎么也不肯去。

老奶奶又颤颤巍巍地往前走了几步，遇到了一位技艺精湛的屠夫。于是她对屠夫说：“技术高超的屠夫哇！帮我去宰了那头健壮的公牛吧！公牛不肯喝那潭清水，那潭清水就不肯去扑灭那烧得很旺的火焰，火焰不肯去烧那根棍子，长长的棍子就不肯去打那只雄健的狗，狗就不肯去咬那头小肥猪，那头懒惰的小肥猪就不肯迈上台阶，我这个可怜的老太婆哟，今晚恐怕就没法儿回到我那温暖的家了呀！”但是这位技艺精湛的屠夫摇了摇头，怎么也不肯去。

老奶奶又颤颤巍巍地往前走了几步，遇到了一根绳子。于是她对绳子说：“绳子呀！帮我去勒那位屠夫的脖子吧！屠夫不肯宰那头健壮的公牛，公牛就不肯喝那潭清水，那潭清水就不肯去扑灭那烧得很旺的火焰，火焰不肯去烧那长长的棍子，棍子就不肯去打那只雄健的狗，狗就不肯去咬那头小肥猪，那头懒惰

的小肥猪就不肯迈上台阶，我这个可怜的老太婆哟，今晚恐怕就没法儿回到我那温暖的家了呀！”但是这根绳子怎么也不肯去。

老奶奶又颤颤巍巍地往前走了几步，遇到了一只敏捷的小老鼠。于是她对老鼠说：“敏捷的老鼠哇！帮我去啃那根绳子吧！绳子不肯勒那位屠夫的脖子，屠夫就不肯宰那头健壮的公牛，公牛就不肯喝那潭清水，那潭清水就不肯去扑灭那烧得很旺的火焰，火焰不肯去烧那根棍子，长长的棍子就不肯去打那只雄健的狗，狗就不去咬那头小肥猪，那头懒惰的小肥猪就不肯迈上台阶，我这个可怜的老太婆哟，今晚恐怕就没法儿回到我那温暖的家了呀！”但是这只小老鼠滴溜溜地转着它那两只黑漆漆的小眼睛，怎么都不肯去。

老奶奶又颤颤巍巍地往前走了几步，遇到了一只懒洋洋的小猫咪。于是她对猫咪说：“可爱的猫咪呀！帮我去捉住那只敏捷的小老鼠吧！小老鼠不肯去啃那根绳子，绳子就不肯勒那位屠夫的脖子，屠夫就不肯宰那头健壮的公牛，公牛就不肯喝那潭清水，那潭清水就不肯去扑灭那烧得很旺的火焰，火焰不肯去烧那根棍子，长长的棍子就不肯去打那只雄健的狗，狗就不去咬那头小肥猪，那头懒惰的小肥猪就不肯迈上台阶，我这个可怜的老太婆哟，今晚恐怕就没法儿回到我那温暖的家了呀！”

但是这只小猫咪摸摸自己的肚皮，懒洋洋地对老奶奶说：“老奶奶呀！要是你能到那边的牛棚里找到奶牛，帮我取来一杯香喷喷的牛奶，那我就帮你捉住小老鼠。”于是老奶奶又弓着腰，迈着颤巍巍的步子朝牛棚走去。

但是奶牛对她说："老奶奶呀！要是你能去那边的干草堆那里，给我拿一把美味无比的干草，我就给你鲜美的牛奶。"于是老奶奶又弓着腰，迈着颤巍巍的步子走到干草堆那里，给奶牛带来了一把干草。

等到那头奶牛吃完了美味的干草，就慷慨地给了老奶奶一杯新鲜而美味的牛奶，于是老奶奶赶紧给猫咪带去了这杯来之不易的牛奶。

等到猫咪细细品尝完这杯鲜美的牛奶，她转身就去抓那只敏捷的小老鼠，小老鼠慌里慌张地去啃长长的绳子，绳子就去勒屠夫的脖子，屠夫吓得赶紧去杀牛，那头健壮的公牛开始咕咚咕咚地喝水，水急切地去扑火，烈火赶紧蹿过去烧那根长长

的棍子，棍子就去打那只雄健的狗，狗就去咬那头懒惰的小肥猪，那小肥猪吓得赶紧跳上了台阶，于是那天晚上老奶奶终于回到了自己温暖的家。

可怜的知更鸟

谁杀死了知更鸟？
是我，麻雀承认，
挽着我的弓箭，
杀死了知更鸟。

谁看见它死去？
是我，喜鹊承认，
用我那小小的眼睛，
看着知更鸟死去。

谁取走它的血？
是我，鱼儿承认，
用我的小小杯碟，
取走了它的血。

谁为它制寿衣？
我，老鹰开口了，
用我的针和线，
为它制寿衣。

谁来挖坟墓？
我会来帮忙，猫头鹰说，
用我手中的锄和铲，
为它挖坟墓。

谁来当牧师？
我，乌鸦应允，

拿着我的小册子，
我来当牧师。

谁人愿意当记事员？
我，云雀来答应，
只要不在天黑进行，
我愿意做记事。

谁人来扶灵？
我，鸢儿承诺，
避开天黑时分，
我来为它扶灵。

谁人当主祭？
是我，天鹅说，
它的离世让我悲痛，
我会当主祭。

谁人提供棺罩？
我们，鹪鹩说，
我们夫妇一起，
我们来提供棺罩。

谁人来敲丧钟？
我，公牛忙应允，
因为我力气大，
可以为它敲丧钟。

谁人来引路？
我，雨燕答应，
万事准备好，
我带大家走。

空中所有的鸟，
哀鸣并哭泣，
当它们听到丧钟，
为知更鸟响起。

通知所有有关的人，
这则启事说，
不久之后开庭，
麻雀将会受到审判。

猫和老鼠

从前，有一只猫咪和一只小老鼠在一个麦芽厂里你追我逐地开心玩耍。

她们嬉笑打闹着，翻来滚去，从房子这头折腾到那头。突然，大事不妙，猫咪把老鼠的尾巴给咬下来了！

“求你了，我的好猫咪，把我那美丽的长尾巴还给我吧！”小老鼠眨巴着一对漆黑的小眼睛祈求道。

“那可不行，”猫咪捋着自己的胡须，“我才不会这么轻易就给你尾巴呢！除非……除非你去奶牛那里给我取一杯香喷喷的牛奶。”

可怜的小老鼠听完猫咪说的话之后一下子跳了起来，然后一溜烟地跑了。

等她气喘吁吁地到了奶牛那里，她对奶牛说：“求你了，我的好奶牛，给我一点儿牛奶吧！如果你给我一点儿牛奶，那样我就能把牛奶给猫咪，猫咪就会把我那美丽的长尾巴还给我。”

“那可不行，”奶牛晃动着肚皮，“我不会这么轻易就给你牛奶的，除非……除非你去农夫那里，给我带一些美味无比的干草。”

可怜的小老鼠听完奶牛说的话之后一下子跳了起来，然后一溜烟地跑了。

等她气喘吁吁地到了农夫那里，她对农夫说："求你了，我的好农夫，给我一些干草吧！那样我就能把这些美味的干草给奶牛，奶牛吃完就会给我一些牛奶，我就能把香喷喷的牛奶给猫咪，然后猫咪就会把我那美丽的长尾巴还给我。"

"那可不行，"农夫望着厨房说，"我不会这么轻易就给你干草的，除非……除非你去屠夫那里，给我取一点儿可口的肉来！"

可怜的小老鼠听完农夫说的话之后一下子跳了起来，然后一溜烟地跑了。

等她气喘吁吁地到了屠夫那里，她对屠夫说："求你了，我的好屠夫，给我一些可口的肉吧！那样我就能把这些肉给农夫，农夫就能给我一些干草，我就能把美味的干草给奶牛，奶牛吃完就会给我一些牛奶，我就能把香喷喷的牛奶带给猫咪，然后猫咪就会把我那美丽的长尾巴还给我。"

“那可不行，”屠夫看着餐桌说，“我不会这么轻易就给你肉的，除非……除非你去面包师那里，给我带一些松软可口的面包来！”

可怜的小老鼠听完屠夫说的话之后一下子跳了起来，然后一溜烟地跑了。

等她气喘吁吁地到了面包师那里，她对面包师说：“求你了，善良的面包师呀，给我一些松软可口的面包吧！那样我就能把这些面包给屠夫，屠夫就会给我一些美味无比的肉，我就能把这些肉给农夫，农夫就会给我一些干草，我就能把干草给奶牛吃，奶牛吃完就会给我一些香喷喷的牛奶，我就能把牛奶给猫咪，然后猫咪就会把我那美丽的长尾巴还给我。”

“好哇，”面包师说，“我会给你一些松软又可口的面包的。但是，今后你要是敢偷吃我家的食物，被我发现了，我一定不会善罢甘休！”

说完，面包师给了小老鼠一些松软可口的面包。小老鼠把面包给了屠夫，然后屠夫给了小老鼠一些新鲜的肉；小老鼠把鲜肉给了农夫，然后农夫给了小老鼠一些干草；小老鼠把干草给了奶牛，然后奶牛给了小老鼠一些香喷喷的牛奶；小老鼠把牛奶给了猫咪，最后猫咪终于把小老鼠那美丽的长尾巴还给了她！

灰姑娘

曾经有位先生，再婚的时候娶了一个目中无人、傲慢无比的老婆。那女人和前夫生了两个女儿，这两个女儿跟她们的妈妈在各个方面都如出一辙。而那位先生呢，他跟前妻也生了个小女儿，这个小女儿却善良、温柔，美好得让人没话说——这一切都源于她的妈妈，那可是世上最好的女人。

婚礼一结束，这个继母就露出了自己的本性。她无法忍受丈夫的小女儿长得又漂亮又温柔，因为自己的女儿们跟她一比就相形见绌，显得格外丑陋又令人讨厌。继母让她做家中最卑贱的脏活儿、累活儿，像刷盘子、擦地板等，并让她清扫她们母女三人的房间。她睡觉的地方是个环境很差的阁楼，里面只有一张用草铺就的床。而她的姐姐们却睡在装饰精美的房间里，地板都镶饰有图案，床上挂着床帘，还有面大镜子，能把人从头照到脚。

可怜的孩子默默地承受着这一切，她也不敢把这些事告诉自己的爸爸。当她干完了那些繁重的工作后，常常会缩在炉子的角落里，坐在煤渣和煤灰堆里，所以人们总叫她“灰村姑”。

但是继母的小女儿不像她大姐那样粗俗、没有礼貌，只有她会叫她“灰姑娘”。尽管灰姑娘没有美丽的衣服可穿，却比她的姐姐们漂亮一百倍，不管她们穿的衣服有多么华丽和昂贵，在灰姑娘面前都黯然失色。

碰巧，国王的儿子要举行一场舞会，邀请了方圆几英里内所有身份尊贵的人士来参加。两位小姐也在受邀请之列，因为在那些有身份的人面前，她们给人的印象还不错。

接到邀请后，她们欣喜若狂，开始挑选那些最适合她们的礼服、衬裙、发型，忙得不亦乐乎。这又给灰姑娘带来了新的麻烦，因为要由她来给她的姐姐们熨衣服、装饰褶边。她们一整天叽叽喳喳所聊的话题都是关于舞会，比如该穿什么衣服、如何让自己显得卓尔不凡。

“我嘛，”大姐说，“我要穿法式缝边的深红色天鹅绒套装。”

“那我，”继母的小女儿说，“我就穿那件用金花装饰还镶着钻石胸针的外衣。”她们还不时问问灰姑娘的意见，因为她的品味一向不错。她也不遗余力地真诚帮助她们，甚至帮她们梳理头发，这当然也是她们希望她做的。

当她忙忙碌碌地做这些烦琐事情的时候，她们偶尔也会问她：“可怜的灰姑娘，你难道不想去参加那奢华的舞会吗？”

“哎呀，”她轻声叹息道，“你们别取笑我了！我这种身份，哪能去那种场合呀。”

“说得也是，”继母的女儿们回答说，“要是人们在舞会上看到灰头土脸的灰村姑，恐怕非得笑掉大牙不可吧！”

除了灰姑娘以外，其他人总会把她们的头发梳歪。只有灰姑娘细致又手巧，总能把她们打扮得漂漂亮亮的。

期盼已久的幸福日子终于来了。她们打扮得当，衣着华丽，缓缓向宫廷走去，而灰姑娘则用目光追随着她们很久很久，直到再也看不见她们的身影。可怜的灰姑娘这时才悲从中来，开始呜呜地低声哭了起来。

她的教母走进来，看到她泪眼婆娑的样子，心疼不已，便轻声问她到底怎么了。“我好想……呜呜……我好想也能去参加那场奢华的舞会呀……”她边哭边说，连话都说不全了。

她的教母实际上是位仙女。她轻声抚慰灰姑娘说：“亲爱的，你也希望自己能去舞会，是吗？”

“是啊。”灰姑娘长长地叹了一口气，幽怨地说。

“那好，”她的教母自信地说，“亲爱的，你乖乖的，我一定会想方设法实现你的心愿。”

接着，教母拉着灰姑娘的手，细细叮嘱她说：“去花园吧，给我带回一个南瓜来。”

灰姑娘立刻去采摘了最好的南瓜，把它交给了教母。教母挖出了里面的瓤，只留下了外壳。做完这些，她用魔杖轻轻点了一下南瓜，南瓜立刻变成了一辆镀金的精美马车，闪耀着动人的光芒。接着，她又朝捕鼠夹那边看了看，发现了六只被捉住的小老鼠，都还活着。她让灰姑娘把捕鼠夹的门打开一些，每只老鼠一溜出来，她都用魔杖点一下，六只小老鼠立刻变成了六匹矫健的骏马。它们的皮甚至都还是之前老鼠身上那灰灰的颜色呢。

“到我这儿来，亲爱的孩子，这是你的马车和骏马。”教母一一介绍说，“但是我们去哪里找一名车夫呢？你跑过去看看捕鼠夹里还有没有老鼠。”

灰姑娘把捕鼠夹打开，里面还有三只大老鼠。教母选了一只最大的老鼠，用魔杖一点，就把它变成了一个肥嘟嘟的快乐马车夫。

然后，教母对她说：“亲爱的，再去花园一趟吧，在喷水壶的后面，你会看到六只蜥蜴，把它们给我带来。”

灰姑娘很快把蜥蜴带了回来，她的教母把它们变成了六个男仆。他们立刻从马车后面跳了出来。然后，教母对灰姑娘说：“好了，你看，现在他们可以带你去参加舞会了，你还满意吧？”

“当然啦，”她开心地大声回答道，“但是我要穿着这身难看的旧衣服去吗？”

她的教母便用魔杖点了一下她，她的衣服立刻就变成金衣、银衣了，而且上面还镶满了闪耀的宝石。最后，教母还给了灰姑娘一双精美无双的水晶鞋，晶莹闪耀，让人赞叹不已。

装扮一新后，灰姑娘开心地坐进了精巧的马车里。她的教母却严肃地一再嘱咐她说，最最重要的事情是：绝对不要待过午夜十二点。她还说，如果她多待一会儿，马车会变回南瓜，马和马车夫会变回老鼠，男仆会变回蜥蜴，衣服也会变回原来的样子。

她向教母保证，在午夜之前一定离开舞会。然后，骏马拉着华丽的马车，载着美丽的灰姑娘向举办舞会的宫殿驶去。

王子听说有一位神秘又美丽的公主芳驾光临，赶紧出去迎接。他挽着她的手从马车上下来，把她带到满是宾客的大厅里。

灰姑娘一进到大厅里，大家立刻就安静了下来。所有人都停止了跳舞，乐师也停止了演奏，别的什么都听不到，只听见

大家都在窃窃私语："天哪，她长得可真漂亮啊！"

所有在场的女士都忙着看她的衣服和头饰，希望改天也能找人仿照同一款式给自己做一套。王子和她一起翩翩共舞，她的舞姿是如此优雅、美妙，人们对她越发歆羡。

丰盛的餐品一一呈送上来，但年轻英俊的王子一口都没吃，因为他一直都在忙着看美丽的灰姑娘。

灰姑娘坐到自己的姐姐们旁边，将王子给自己的水果慷慨地分给了她们，这让她们非常诧异。灰姑娘正和她的姐姐们一起开心地聊着天时，突然听到了沉闷的钟声，现在已经是十一点四十五分了。于是，她匆匆忙忙给在座的宾客行了个礼，便转身迅速离开了。

她到家就跑去找自己的教母，真诚地向她致谢，并告诉她说，自己衷心地希望明天也能去参加舞会，因为王子已经邀请她了。

她正兴高采烈地给自己的教母讲自己在舞会上的所见所闻时，她的两个姐姐就来"咚咚咚"地敲门了。灰姑娘跑去给她们开门。"你们待了这么长时间哪！"她大声说道，同时一边打哈欠一边揉眼睛，就好像刚才一直在睡觉似的。

"你要是去了那奢华的舞会呀，"她的一个姐姐说，"你肯定就不会觉得这么困了。那儿来了一位全世界最漂亮、最美好的公主。她对我们非常客气，而且王子也因她而魂不守舍，扬言说自己为了知道那位公主的来历，可以舍弃一切。"

听到这话，灰姑娘笑着回答说："这样说来，那她一定是非常漂亮了。你们好幸运哪！我可以去见见她吗？啊，亲爱的夏洛特，把你每天都穿的那件黄衣服借给我，好吗？"

"啊！"夏洛特大声说道，"把我的衣服借给一个像你这样脏兮兮的灰村姑？哈哈哈哈……那我可真成傻瓜了！"

第二天，两个姐姐又去了舞会，灰姑娘也去了，而且穿得比上次还要华贵。王子对她十分迷恋，与她寸步不离，而且说着最动听的话。事实上，她几乎忘了教母之前对她说的话了，她觉得时间应该还没超过十一点。

正在这时，她听到钟声敲响了十二下。她一跃而起，落荒而逃，敏捷得就像只可爱的小鹿。王子随后也跟了上去，但是没追上她。一只水晶鞋在她跑的时候不小心掉落了，被王子小心翼翼地捡了起来。

灰姑娘回到家时，已经累得上气不接下气了。身上穿的衣服还是原先那身难看的旧衣服，整套华丽的行头唯一留下来的只有一只水晶鞋，和她掉落的那只是一对。

宫廷的守卫被问到是否看见有个公主跑出去。他们回答说，只看到一个年轻女孩儿出去了，她穿得破破烂烂的，样子更像是个贫穷的乡下姑娘，而不是什么公主。

当两个姐姐从舞会那里回来的时候，灰姑娘问她们有没有受到盛情款待，还有那位漂亮的公主今天有没有去。她们对她说，她们像昨天那样受到了盛情款待，但是那位公主在午夜十二点的时候急急忙忙地离开了。她走得很急，还不小心掉落了一只水晶鞋。那鞋子简直是世界上最精美的鞋子了，是王子把它捡起来的。王子在晚会上什么都没做，一直都在看那位美丽的公主。他肯定是深深地爱上那位穿水晶鞋的美人了。

她们说的果然没错。没过几天，王子就派人诏告天下：谁能穿上这只水晶鞋，王子就娶她为妻。于是国王的手下开始让各国的公主们、女公爵们还有宫廷里其他女子试穿这只鞋，但是她们都穿不上。

这只水晶鞋也被带到了灰姑娘的两个姐姐面前。两个姐姐拼了命地想把脚塞进鞋子里，但是怎么塞也塞不进去。

灰姑娘看着这一切，她知道那只鞋是自己的，于是笑着对她们说："让我试一试吧，看看我能不能穿得上。"

她的姐姐们顿时哈哈大笑，并无情地嘲弄她。

"你肯定穿得上！"她们讥讽道，"我们倒要看看你那双粗笨的脚能不能穿得上那双精致的鞋！"

王子派出试鞋的手下非常认真负责，他仔细打量了一下灰姑娘，觉得她其实长得还不错，就对她说，她也应该试一试，毕竟王子的命令是让每一个女子都试试。

当他把鞋套到灰姑娘脚上的时候，他大吃一惊，因为鞋子很容易就穿进去了，而且很合脚，就像那鞋子是以灰姑娘的脚为模子用蜡精心打造出来的似的！她的两个姐姐也大吃一惊。这时她的教母也来了，她用魔杖点了一下灰姑娘的衣服，使它看起来比她之前穿过的所有衣服都要更高贵、更华丽。

现在，她的两个姐姐终于相信了灰姑娘就是她们之前在舞会上见到的那个优雅、美丽的公主。她们扑倒在她的脚下，为自己曾经让她受过的那些虐待请求原谅。灰姑娘把她们搀扶起来，一边拥抱她们，一边说自己真心地原谅了她们，并且希望她们永远爱她。

然后灰姑娘被带到年轻的王子面前，王子觉得她比以前更美丽动人了。几天以后，他们就结婚了。灰姑娘人美心更美，她在宫殿里给她的两个姐姐也安排了住处，还给她们二人分别找了个勋爵做丈夫。最后，他们都过上了幸福美满的生活。

杰克与豆茎

很久很久以前，离伦敦很远的一个村庄里，有一位贫穷的寡居老妇人住在一间小房子里。

妇人只有一个儿子，名叫杰克。她倾尽全力对杰克有求必应，然而她的这份溺爱换来的却是杰克对她的话置若罔闻，平时杰克不仅粗心大意，还很调皮。他这么调皮并不表示他性情恶

劣，而是他妈妈从不责备他。老妇人很穷，杰克又不工作，所以她只能卖掉东西换钱来支撑生活。到最后，东西都被卖光了，只留下一头奶牛。

老妇人眼里含着泪水，情不自禁地斥责杰克：“你这个捣蛋鬼，你这么顽皮，让咱俩沦落到如此地步！粗心大意，粗心大意的小子！我没钱了，明天没饭吃了——什么都没有了，就剩一头奶牛了。要不卖了它，要不我们就饿肚子！”

杰克难过了一会儿。但是不一会儿他就饿得前胸贴后背了，不断央求妈妈让他去把奶牛卖了，老妇人虽然很伤心，但还是答应了杰克。

在去集市的路上，杰克遇见了一个屠夫，屠夫问他为什么把奶牛牵出来，杰克告诉他，自己要把奶牛卖了。屠夫包里有一些五颜六色的豆子，杰克很中意。屠夫想借此占杰克的便宜，打算用豆子换这头奶牛，因为他知道杰克很容易上当。杰克竟然还认为这是一笔好买卖。交易瞬间完成了，杰克的奶牛被几颗豆子换走了。

杰克迫不及待地跑回家将此事告诉妈妈，还兴高采烈地给她看这些豆子。老妇人看见杰克没有换到钱，而是换了几颗豆子，就生气地把豆子扔在地上。豆子滚落一地，甚至骨碌碌地滚到了花园里。

第二天早上，杰克起床后发现今天的窗外似乎有一些不同寻常。他赶紧跑到楼下花园里，发现豆子已经扎根并且肆意地

快速成长起来了：豆茎长得又粗又壮，彼此缠绕在一起，形成了一个梯子，看起来就如同链子一般。

杰克向上望了望，一眼望不到头；豆茎越来越高，似乎消失在了云端。他晃了晃豆茎，发现它是如此牢固，无论如何都无法晃动分毫。突然他想道：自己可以沿着豆茎爬上去，看看它到底长到了哪里。这个想法让他暂时忘掉了饥饿，杰克马上跑去告诉了妈妈。

然后他立马出发了，爬了几个小时后，他到了豆茎的顶端，身体很疲惫。看看周围，他很吃惊地发现自己置身于另一个陌生的国家。这个国家看起来像贫瘠的荒漠，没有一草一木，也没有房子和任何生命体。

杰克若有所思地坐在一块石头上，想起了他的妈妈。饥饿感再次袭来，他很后悔不听妈妈的话爬上了这根豆茎。他想，在这里他肯定会被饿死的。

然而，他又继续往前走，想找户人家要些东西吃。忽然，他看见一个年轻漂亮的女人就在不远处。她衣着得体，手持白杖，白杖上端镶嵌着一只金孔雀。她走近杰克说："我给你讲一个故事，一个你妈妈可不敢告诉你的故事。但是我开始讲之前，你必须郑重承诺你会按照我的指示行事。我是个仙子，只有你

按照我指示的去做，我才会用法力来帮助你；如果违反了我的指示，你就会丧命于此。”听到这个警告，杰克很害怕，但还是答应了仙子，表示会听从她的命令。

“你的父亲很富有，并且慷慨大方，乐善好施。离你父亲家不远处住着一个巨人，由于他的残暴恶毒，整个国家的人都很怕他。这个巨人生性嫉妒，不喜欢听到别人夸你父亲的好，所以发誓要修理你父亲，这样就不会再从别人口中听到夸他了。而你父亲又害怕别人使坏；不久这个残暴的巨人就找到机会下手了。他听说你的父母会离家去拜访朋友，并在那里小住几日，就半路拦截了你的父亲，还残忍地杀害了他。你的母亲也在回家的路上被捉住了。

“这件事情发生的时候，你才几个月大。你的母亲快被吓死了，被巨人的仆人带到了房子下面的地牢里。你和你的母亲在那里被囚禁了很久。你家的仆人见你父母没回来，出门寻找，但毫无音讯。与此同时，巨人想以监护人的名义，将你父亲所有的财产转移到他的名下，就这样，他拥有了所有的财产。

“你母亲被囚禁了几个月后，巨人恢复了她的自由，条件是——她必须郑重地承诺不会跟任何人说起这件事。为了防止她违背誓言，给他带来不利，他用船把她送到另一个国家。她穷困潦倒，即使把藏在衣服里的几件珠宝全卖了，仍没有足够的钱生活。

“自从你父亲出生以来，我就一直是他的保护神，但是仙子也要像凡人一样，需要服从仙界法规。在你父亲被害之前，我违反了法规而接受惩罚，使得法力消失，因此当时虽然非常想帮你父亲，但是心有余而力不足。你卖奶牛遇见屠夫的那天，我的法力恢复了，是我促成你跟屠夫做那笔交易的。由于我的法力，豆茎才长得这么高，长成了梯子。巨人就住在这个国家，你必须去惩罚他，因他所有的邪恶。你可能会遇到艰难险阻，但你必须坚守为你父亲报仇的信念，不然就不会成功。

“至于巨人的财产——你们被抢走的那些，都是属于你们的。只要你能带走的，就尽力全都带走。但是你得小心，因为他特别爱惜他的财物，只要发现丢失一件，他就会勃然大怒，并且会提高警惕。但是你不能放弃，要争取那些本该属于你的东西，用正义战胜他的邪恶。我只要求，下次跟我见面前，不要让你妈妈察觉到你已知道了这段故事。

“沿着这条路走，你就会找到巨人的家。只要你按我说的做，我就会暗中保护你。但是你要记住，如果你违反了我的命令，可怕的惩罚就会等着你。”

仙子说完就消失了，留下杰克自己继续旅程。他走哇走，一直走到太阳下山时，他满怀欣喜地看到了一座大宅子，这让他重新振奋起来；他加快了脚步，不一会儿便走到了。

一个漂亮的女人站在门口。杰克开口求她给自己一些果腹的食物，并留他住一晚。看见杰克，她很惊奇，告诉杰克说在

这附近不常见到别的生物，因为众所周知，她的丈夫可是个残暴的狠角色，他只要能把人弄到手，就会残忍地吃掉。

她说的话把杰克吓了一跳，但是他又想起自己有仙子的保护。他想躲开巨人，因此求这个女人收留他一晚上，并且把他藏起来。这个善良的女人最终勉强答应了，把他偷偷带进了房子。

他们首先经过一个十分雅致的大厅，然后又经过几间宽敞的房间，装饰风格和大厅一样，但是看起来像被废弃了很久。经过走廊的时候，那里一片漆黑，两边不是墙而是铁栅栏，将阴森的地牢隔开，地牢里不时传出被囚禁者的呻吟声。这些可怜的受害者被巨人囚禁在这里，他们是他为自己的大胃口准备的美食。

看到这么可怕的场景，杰克吓坏了，他担心自己再也见不到母亲，而是被巨人捉到吃了；但又想到了仙子，心里才有了一丝希望。

这个善良的女人把杰克带到一间宽敞的厨房里，厨房里的火还在烧着，她让杰克坐下，给了他很多食物。杰克享用完美食后，听到剧烈的敲门声，声音都能把房子震得晃动。女人把杰克藏在烤箱里后，赶紧去给自己的丈夫开门。

杰克听到巨人叫这个女人，他的声音像雷声一般，他嚷嚷道："太太！太太！我闻到了人肉的香味！"女人强装镇定地回答道："噢，亲爱的，没有别人，是地牢里的人。"巨人好像相信了妻子，坐在火炉旁，等他的妻子准备晚餐。

杰克想透过缝隙看看这个怪物，却吓了自己一跳，他很吃惊地发现，这个巨人狼吞虎咽地吃了很多东西，就像这辈子没吃过饭一样。

吃过晚饭后，一只很奇怪的母鸡被带到桌子上。杰克好奇心大增，想看看会发生什么。这只母鸡很安静地站在巨人面前，每次巨人一说“下蛋”，这只母鸡就会下一个金蛋。巨人被这只鸡逗得开心了好久，这时候他妻子去睡觉了。终于，他也睡着了，鼾声像大炮声一样。

黎明的时候，杰克发现他还在熟睡，就悄悄地爬出来，抓住了母鸡，然后飞快地逃跑了。

杰克很快就找到了豆茎，比他预想的还要快地爬了下去。他的母亲看见他后非常高兴。杰克说：“妈妈，我会让咱家变得跟以前一样富有。”这只母鸡如他们所愿下了很多金蛋，他们把

金蛋卖掉，变得要多富有就有多富有！

杰克和母亲很幸福地生活了几个月，但是杰克希望再去巨人家看看。一天早上，他又爬上了豆茎，傍晚到达了巨人的房子前。

那个善良的女人像以前一样站在门口。杰克编造了一个动人的故事，祈求能借宿一晚。女人告诉杰克，以前她曾经答应过一个可怜的小男孩儿，可那个忘恩负义的孩子偷了巨人的宝贝，从那以后巨人对她也很粗暴。尽管如此，她还是带杰克进了厨房，提供了丰富的晚餐，然后把他藏到木柜子里。

不一会儿，巨人进来了，吃了晚饭后，巨人让妻子把他装着金银珠宝的袋子拿过来。

杰克慢慢爬出自己的藏身之地，偷偷瞄见巨人在数他的金子，数完后又放进袋子里，然后去睡觉了，鼾声还像以前一样

震耳欲聋。杰克悄悄爬出来走近了巨人，不料椅子下有只小狗大声地汪汪叫。令杰克吃惊的是，虽然动静很大，但巨人仍然睡得很熟，不一会儿小狗不叫了。杰克拿着口袋，安全地走到门外，不久便到达了豆茎的底下。

当他走到家的时候，发现房子像被废弃了一样。他赶紧跑到村子里，一位老奶奶带他去了一间屋子，他发现母亲躺在那里奄奄一息。得知儿子回来了，母亲又活了过来，并且不久便康复了。杰克把两袋子金银珠宝交到母亲手里。

杰克的母亲发现杰克现在的思想被别的什么东西控制了，想找出根源。但是，杰克知道如果母亲知道这件事之后会有什么后果。有种渴望一直在迫使他再去爬豆茎，然后跑去巨人家里，他尽力去克制这种想法，但是没有用。

在最漫长的那一天，天一亮杰克就起了床，爬上了豆茎，很熟练地便爬到了顶端。像以前一样，他很快找到了路，开始了旅程。晚上他到了巨人家后，发现巨人的妻子还跟以前一样站在门口。杰克这次又以另一个身份出现，最终他还是说服了巨人的妻子，被带进了房子里，藏在铜器下面。

巨人回来后，像以前一样，大叫道："太太！太太！我闻到了新鲜的人肉味！"但是杰克现在很镇定了。巨人就像以前说的那样，不一会儿就得到了满足。然而，巨人突然睁开眼睛，不顾妻子劝阻，开始搜查整个房子。巨人还在继续搜寻，杰克

此时担惊受怕，心里默念了上千次，希望现在是在自己家里。当巨人靠近铜器，手放到盖子上时，杰克以为自己马上就要没命了。幸运的是，巨人突然停止了搜寻，并没有掀开盖子，而是安静地坐在了火炉旁边。

巨人吃完饭后，让妻子把他的竖琴拿来。杰克透过盖子瞥了一眼，看到了他能想象到的最漂亮的东西。巨人把它放在桌子上，说："演奏。"然后竖琴自动演奏了，音乐悠长美妙。杰克很高兴，急切地想得到竖琴，这把琴比任何宝贝都更让他喜爱。

巨人的心情可跟这美妙的旋律不太搭调，伴着音乐，他不一会儿就睡着了。这次他比以前睡得更熟，因此，正好是杰克去拿竖琴的好时机。杰克马上做了决定，从铜器里出来拿到了竖琴。然而，他没料到竖琴被施了魔法，大声叫道："主人，主人！"

巨人被叫醒了，站起来想要追上杰克。但是他喝得烂醉如泥，站都站不起来了。巨人走得很慢，在杰克后面摇摇晃晃地追赶他。要不是醉得这么厉害的话，他早就一下子捉住杰克了。杰克赶紧爬上了豆茎，一路上巨人都在叫他，声音就如同雷声一般，并且时远时近。

杰克一爬下豆茎就赶紧拿出了斧头——他一直把斧头带在身上。巨人刚要顺着豆茎往下爬，杰克就从根部砍断了豆茎，巨人头朝下掉在了花园中，瞬间一命呜呼了。

回到家后，杰克祈求母亲原谅他给她带来的所有烦恼和痛苦，真诚地向母亲承诺，他以后会负起责任，也会听母亲的话。后来他确实言而有信，真心对待自己的母亲。

小红帽

从前有一个小女孩儿，长得非常漂亮，她的妈妈和外婆都非常宠爱她。慈爱的外婆送给她一顶小红帽，她戴着无比合适，因此别人都亲切地叫她“小红帽”。

一天，妈妈跟小红帽说：“来，小红帽，这里有一些蛋糕和一瓶黄油，快给外婆送去，外婆生病了，身子很虚弱。”

小红帽拿着东西，立刻出发朝外婆生活的那个村子走去。

经过森林的时候，小红帽遇到一只大灰狼。他想吃掉小红帽，但是附近有樵夫，他不敢轻易行动。所以，他询问小红帽要去哪里。

可怜的小红帽不知道跟大灰狼说话有多危险，她告诉他：“妈妈让我带着一些蛋糕和一瓶黄油去看我外婆。”

大灰狼又接着问：“你外婆家住得远吗？”

小红帽说：“远着呢，她住在下面的山后村里的第一家。”

“那我也去看望她吧。我从这条路走，你从那条路走，看我们谁先到她家！”

大灰狼从近路飞奔而去，而小红帽则走上了最远的路。她一边走一边玩，一会儿收集坚果，一会儿追着蝴蝶跑，过一会儿又去摘雏菊和金凤花。

不一会儿，大灰狼就到了外婆家，咚咚地敲着门。

“是谁呀？”外婆问。

“是您最爱的外孙女小红帽，”大灰狼尖着嗓音说，“妈妈让我给您送来了蛋糕和黄油。”

“你拉一下门闩，门就开了，”外婆尽量大声说，“我身上没有力气，起不来床。”

狼刚拉开门闩，那门就吱呀一声开了。大灰狼已经饿了三天，早就饥肠辘辘了，他二话没说，冲到外婆的床前，把外婆一口吞进了肚子。

然后他关上门，躺在外婆的床上，等着单纯的小红帽的到来。

过了一会儿，小红帽来到了外婆家，敲了敲门。

“是谁啊？”大灰狼模仿着外婆的声音问道。小红帽刚听到这粗哑的声音吓了一跳，但又想到可能是因为外婆生病了声音才这样的，于是回答道：“是您最爱的外孙女小红帽，妈妈让我

给您送来了蛋糕和黄油。”

大灰狼尽量让声音听起来柔和一些，说：“进来吧，小红帽，你拉一下门闩就行了。”然后小红帽就走进了屋里。

大灰狼看到小红帽进来，赶紧披上外婆的衣服，对小红帽说：“把蛋糕和黄油放那里，过来和我躺一会儿吧。”

小红帽脱了外套走向外婆，她觉得今天外婆看起来很奇怪，吃惊地问道：“呀，外婆，您的胳膊怎么这么粗哇？”

“为了更好地抱你呀！”

“呀，外婆，外婆，您的腿怎么这么壮啊？”

“为了能很快就追上你呀！”

“呀，外婆，外婆，您的耳朵怎么这么大啊？”

“为了更清楚地听你说话呀。”

“呀，外婆，外婆，您的眼睛怎么这么大啊？”

“为了能更清楚地看见你呀。”

“呀，外婆，外婆，您的牙齿怎么这么大啊？”

“为了能一口把你吃掉啊！”

说着，狡猾的大灰狼跳到小红帽身上把她吃掉了。

拇指汤姆历险记

传说在亚瑟王统治英国时期，有一个叫梅林的人无所不知、技艺高超，是世界上最厉害的魔法师。

这个魔法师可以随意变成他想要的样子。有一次，他变成一个沿路乞讨的可怜乞丐，走到非常累的时候，他就在一个农舍门口歇脚，并且向老实的农夫讨口水喝。

农夫很热情地招待了他，农夫的妻子也是个热心肠的人，给他用碗端来鲜美的牛奶，用盘子送上粗糙的黑面包。

梅林对农夫和他的妻子善意的热情款待很满意，但是他发现，虽然农夫的房舍干净舒适，但小两口似乎总是愁眉不展。迟疑片刻，他还是询问了小两口郁郁寡欢的原因，原来他们没有孩子。

可怜的妻子伤心地哭诉说，如果有孩子，她会成为世界上最幸福的人，就算孩子没有丈夫的拇指大，她也会欣喜若狂的。

梅林被“没有拇指大的孩子”这个想法逗得哈哈大笑，于是他决定去拜访仙女的国王，请求她帮忙实现农夫妻子的愿望。这个要小孩儿的想法也打动了仙后，她答应梅林会实现这个愿

望。过了没多久，农夫的妻子果然有了一个身体还没农夫拇指大的儿子。

仙后希望在这个小家伙降生后看一看他，她像他的母亲那样坐在床上凝望着他，并亲吻了这个可爱的孩子，还赐给他“拇指汤姆”的名字，又唤来一些仙女，吩咐她们把她最钟爱的小家伙打扮一新。

橡树叶编成皇冠戴头上，
蜘蛛吐丝织就小衣裳，
蓟之细绒拼出小夹克，
羽毛细细裁出小长裤，
母亲睫毛穿起苹果皮，
变成小小人儿身上袜，
老鼠毛皮精心制鞋子，
密密细绒悄悄藏鞋里。

自然，汤姆始终没有父亲的拇指大，没有长到正常的个头儿。但当他长大了，却变得非常淘气，一肚子坏水。当他长到足够大时，开始和其他男孩儿玩耍，一旦他输掉了所有的樱桃核，他就会爬到玩伴的书包里，把自己的口袋填满后再偷偷出来，继续和小伙伴们玩。

然而有一天，他像往常一样从装满樱桃核的口袋要出来的时候，男孩儿碰巧看见了。

“哈哈，小汤姆，”男孩儿说，“我终于抓到你了。你要为偷我樱桃核的行为付出代价！”说着，男孩儿紧紧掐住汤姆的脖子，使劲晃动汤姆，把汤姆的腿上弄得伤痕累累。他太疼了，求男孩儿放他下来，并一再保证以后再也不会做这样的事了。

不久之后，当汤姆妈妈正在做布丁面糊时，汤姆急切地想看那是如何制作的，就爬到碗的边缘。但不幸的是，他脚下一滑，扑通一声狼狈地掉进了面糊里，耳朵里堵满了面糊。妈妈没看见他在面糊里，搅动着布丁面糊将其倒入布丁杯中，打算把这些布丁面糊放进锅里煮。

汤姆的嘴也被布丁塞满了，他发不出一点儿声音，在热锅里感受到扑面而来的热气，只能扑腾挣扎，他妈妈以为这块布丁闹鬼了，立马把它扔到窗外。

一个路过的穷苦小炉匠捡起了这块布丁，高高兴兴地带走了，打算饿的时候吃。这时候汤姆嘴里的面糊差不多吐出来了，就开始大喊："放我出去！"这可吓坏了小炉匠，惊慌之下，他扔下布丁就匆忙跑开了。布丁被扔到地上摔成了小块，可怜的汤姆费了九牛二虎之力才从布丁里爬出来，好不容易才回到了家。

他妈妈看见这么狼狈的汤姆，知道了事情的来龙去脉，心里愧疚万分，赶紧张罗着将汤姆身上的面糊洗干净，亲吻了他，抱他上床睡觉了。

布丁事件过去没多久，汤姆的妈妈带着汤姆去给牧场里的奶牛挤奶。

风很大，妈妈怕汤姆被风吹走，便用细线把汤姆系在一根蓟上。不一会儿，奶牛看见汤姆那橡树叶的帽子，张开大口一下子把他吞进了嘴里。可怜的汤姆在奶牛的嘴里东倒西歪。奶牛缓慢咀嚼的时候，汤姆十分害怕，怕奶牛的牙齿咬到自己，他声嘶力竭地喊道：

“妈妈，妈妈！”

“你在哪儿，汤姆，我亲爱的汤姆？”他的妈妈焦急地喊道。

“我在这儿，妈妈！”汤姆大声喊着，“我就在红牛的嘴里呀！”

他妈妈开始大喊大叫，不安地搓着手。这时候，奶牛也被嘴里奇怪的声音吓了一跳，不自觉地张开嘴，汤姆便掉了出来。幸运的是，汤姆妈妈用围裙接住了汤姆，汤姆沿着围裙滑到了地上，要不是妈妈接住了他，他一定会伤得很严重。妈妈心疼地把汤姆抱在怀里，他们一起回家了。

汤姆的爸爸用秸秆为他做了一根鞭子，赶牲口用。有天汤姆去了田里，脚一滑掉进了沟里。一只乌鸦刚好飞过，把他救了起来，乌鸦载着他飞到一个海边的巨大城堡的顶端，然后又

飞走了。

汤姆惊慌失措，不知道该何去何从。很快，他更加惊恐不已——刚好老巨人格鲁布走在梯田上，他一下子就看见了汤姆，像吃药一样，一口把汤姆吞了下去。

巨人一吞下汤姆就后悔了，因为汤姆在他嘴里又是打又是踢，折腾个不停，巨人感觉十分不舒服，最后无奈之下把汤姆扔进了海里。

一条大鱼正好游过，一口吞下了可怜的汤姆，这条鱼不久就被抓住了，即将被送到亚瑟国王的餐桌上。当厨子剖开鱼肚子看见小汤姆时，他惊呆了，而汤姆对自己能够重新出来呼吸新鲜空气却十分高兴。厨子兴冲冲地把他送给国王看，国王让汤姆成为了自己的小矮人。

很快，汤姆在宫廷里如鱼得水，因为他的调皮可爱不仅能逗乐国王，还能让大臣们忍俊不禁。

据说，国王出去骑马时总要带着汤姆，如果下雨了，汤姆就到国王背心的口袋里睡觉，直到雨停。

一天亚瑟国王问起了汤姆的父母，想知道汤姆的父母是否和汤姆一样小，是贫穷还是富有。汤姆告诉国王，他父母都是正常人的身高，但很穷。听完后，国王同情地带着汤姆去了藏宝室——这是国王放钱的地方。国王告诉汤姆，他可以尽可能多地拿钱给他父母，这让汤姆欣喜若狂。汤姆立马就去找了一个水泡做的钱包，装进去了三便士。

我们的小英雄要把钱背在身上很困难，这成了他的负担。但最后他还是把钱顶在头上，开启了回家的旅程。然而，虽然没有遇到什么困难，但汤姆还是在路上休息了成百上千次，历经两天两夜才安全到家。

汤姆艰难地背着三便士，哼哧哼哧旅行了四十八个小时，这令他疲惫不堪。当他妈妈看见他的时候，欣喜若狂，立马把他带进了屋。

汤姆的父母看到汤姆回来，高兴坏了，而且汤姆还带回了这么多钱。但小家伙带着钱辛劳地跋涉了两天两夜，实在是累到极点了。他妈妈为了让他能尽快恢复，把他安置在胡桃核里，并放在炉子边取暖，还连续三天给他吃了以前一个月分量的榛果，这让他苦不堪言。

汤姆很快康复了。但下了一场大雨后，路面变得很滑，汤姆自己没办法回到国王那里去。于是在某天风吹向国王那边的时候，妈妈用布纹纸做了一个小伞，把汤姆牢牢系在上面，用嘴对着汤姆吹了一口气，这样汤姆就顺着风回到了王宫。

汤姆飞过王宫的庭院时，厨师刚好要去送一大碗牛奶麦粥，那可是国王最喜欢的食物。但很不幸，小汤姆刚好掉进牛奶麦粥正中间，还溅了厨师一脸热粥。

这个厨师是个脾气恶劣的家伙，他对汤姆破坏了牛奶麦粥的行为很生气，狠狠责备了汤姆，还直接跑去国王那里告状，说这一切都是汤姆的恶作剧。国王听到这些很生气，下令以叛国罪把汤姆抓起来，谁若替他求情，立即斩首。

当宣布这个可怕的判决时，可怜的小汤姆惊慌至极，浑身发抖。他知道自己无路可逃，但是，看见磨坊工张着大嘴一步一步地向自己走来，汤姆提起一口气，努力地纵身一跃，跳到了磨坊工的喉咙里。在场的人无一察觉汤姆的冒险举动，就连磨坊工自己也一点儿都没意识到汤姆所要的手段。汤姆就这样凭空消失了，法庭自然也就随之解散了，磨坊工也回家磨磨去了。

汤姆听到磨坊工开始工作了，便知道自己已经逃脱了法庭的惩罚。他开始不停地打滚儿翻跟头，让磨坊工不得安宁，痛苦万分，以为自己得了什么怪病，匆匆忙忙地跑去看医生。

医生来的时候，汤姆开始载歌载舞地瞎折腾，医生和磨坊工一样受惊不浅，风风火火地找来了其他五个医生，还有二十个有学问的人，来一起研究。

正当他们一群人七嘴八舌地热烈地讨论着这件奇事时，磨坊工突然忍不住打了个哈欠，汤姆抓住机会，安全地跳到磨坊工的脚上。

磨坊工被汤姆这个小人儿的行为激怒了，愤怒地抓住汤姆，将他扭送到国王那里去。国王正在处理政务，告诉磨坊工先把汤姆关押起来，等候他的命令。

厨师为了确保这次汤姆不会再从他手上溜走，就把他关到了老鼠笼里，隔着笼子监视他。可怜的小汤姆在老鼠笼里被关了整整一个星期，当他被送到亚瑟国王那里的时候，国王已经宽恕了他打翻牛奶麦粥的事情，最后，小汤姆又重新得宠了。由于汤姆

的精彩技艺，国王封他为爵士，并称他为“拇指汤姆爵士”。

汤姆的身上沾满了布丁面糊、牛奶麦粥，以及巨人、磨坊工的唾液，还有鱼的内脏，国王就下令给汤姆做一套新衣服，并正式将汤姆封为了骑士。

蝴蝶翅膀做衬衫，
小鸡皮毛制长靴，
灵巧仙女细裁剪，
熟练裁缝密密缝，
小小衣裳呈上来，
细针垂侧做宝剑，

精干小鼠胯下驹，

汤姆英俊不一般！

看到汤姆身穿新衣，骑着老鼠坐骑，和国王、贵族等一道去狩猎，真的很滑稽，贵族们都以汤姆为乐。

一天，他们正在一处农舍骑马的时候，一只大猫潜伏在门口，偷偷地观望了他们很久。突然它猛地一扑，就抓住了汤姆和他的老鼠坐骑。这只猫把他们带到树下，打算吃掉老鼠好好地饱餐一顿；但是汤姆拔出了自己的宝剑，刺伤了大猫，大猫把他俩狠狠摔到了地上。一位公爵看见汤姆，用帽子把他接住，放到柔软的床上一个小小的象牙盒子里。

仙后很快过来看望汤姆，把他带回了仙境，汤姆在那里住了几年。他在那里生活的那段时间，国王亚瑟，还有知道汤姆的一众人等都陆续去世了。汤姆很想回到朝廷，仙后便给汤姆换了一身新衣服，带他飞回了王宫，这时正是亚瑟的继承人瑟斯通当政时期。每个人都围着汤姆看，把他带到国王那儿，国王问他很多问题，像是：他是谁？从哪儿来？住在哪儿？汤姆一一回答：

我是拇指汤姆哥，
遥远仙境是居所，
亚瑟大帝执政时，
王宫也是我的家。
为君带去喜开颜，
陛下封我为公爵；
拇指汤姆可听说？

新国王也很喜欢汤姆，他命令下人给汤姆拿来一把小椅子，这样汤姆坐在了国王的桌上；他赐给汤姆一个跨度很大的黄金宫殿，门有一英尺宽；他还赐给了汤姆一辆六只小老鼠拉的马车。

王后对国王赐给汤姆的一切很嫉妒，决定毁了汤姆，就对国王说汤姆对自己言行轻浮。

国王愤怒地去找汤姆算账，汤姆意识到自己马上要大祸临头了，便躲在一个空的蜗牛壳里。在蜗牛壳里躺了一段时间后，他很快就饿得不行了。最后他冒险偷偷向外看，看见一只漂亮的大蝴蝶，待在离自己住的蜗牛壳不远的地方，他一步步小心翼翼地接近蝴蝶，然后迅速跳上蝴蝶的背，蝴蝶飞来飞去，最后回到了王宫。王宫里国王和贵族们还在严阵以待，等着抓他呢。但可怜的小汤姆不幸落在了水壶里，差点儿淹死了。

王后看到汤姆后勃然大怒，说他应该被砍头。汤姆又被关到了老鼠笼里，等着被砍头。

然而，一只猫路过，看到笼子里有活物，就偷偷把汤姆放了出来。

国王终于又重新喜欢上了汤姆，但是汤姆却无福享受了，因为一只大蜘蛛袭击了他。虽然汤姆很勇猛，用剑和蜘蛛进行拼死搏斗，但最后蜘蛛的毒液还是伤到了汤姆。

汤姆轰然倒地，蜘蛛残忍地吮吸着他的每一滴血。

国王和大臣们都对失去汤姆感到十分惋惜，在他的坟墓上给他立了一块墓碑，碑文中写着：

拇指汤姆安居地，
亚瑟大帝封爵士，
蜘蛛毒攻致其死，
亚瑟朝堂声名播，
骁勇善战身矫健，
狩猎奔驰鼠为骑。
生时朝堂播笑语，
逝去悲伤遍朝野。
晃头轻拭眼中泪，
齐声哀悼汤姆逝！

巨人杀手杰克

亚瑟王统治时期，位于英格兰边界地区的康沃尔郡生活着一位富有的农夫，他膝下仅有一个独子，名叫杰克。这个孩子聪明机智，仿佛没有什么事情能够难倒他。他处处表现得比别人厉害。

当时，康沃尔山掌握在一个巨人手中，这个巨人被称为康沃魔。这个巨人身形硕大，身高十八英尺，腰围可达三码，面目间尽是狰狞凶狠之色，时常闯到山周围的村镇上肆意滋扰周边百姓。他平时居住在半山腰的岩洞里，一旦感到饿了就会闯到村民家里，碰上什么就吃什么。他走到哪里，人们都是面色突变，闻风而逃，唯恐避之不及。

巨人把人从家里赶走了，他就吃留在那户人家里的牲口。他可以毫不费力地身背六七头牛、猪和羊，一并带走。多年来，他扰得周围的人苦不堪言，所有的康沃尔人深陷绝望之地，却又无计可施。

一天，杰克待在镇大厅时，刚好听见官员们在议论巨人的问题。杰克很好奇，便问道："杀了巨人康沃魔有什么奖励？"

“巨人所有的宝物都归你，”他们告诉杰克说，“奖励很丰厚，那可是一大笔财富。”

杰克喃喃自语道：“那就让我去杀了那个巨人吧。”

说完，杰克就带着一只号角、一把铁锹和一柄镐，在天亮之前偷偷摸摸到达了山上。等到天边刚刚泛起日光时，杰克已经挖了深二十二米、几乎一样宽的大坑，上面用杂草和树枝掩盖着，他又在上面细致地铺了些土——使这个大坑看起来和周围的土地并没什么不同。

做完了这些，杰克藏身在大坑的对面，距离巨人所居之地较远的地方。天刚放亮，杰克便鼓足了气，吹响了手中的号角。嘹亮的号角声连绵不绝，让人烦不胜烦，终于吵醒了巨人。

巨人从洞穴中一路张牙舞爪地冲出来，抓狂地大声喊道：“你这个死到临头还不自知的家伙，竟然敢跑到这儿来扰乱我的好梦！既然如此，我非要你付出沉重的代价不可。我不让自己满意就誓不罢休，正好可以把你当成早餐，整个烤着吃。”这赤裸裸的威胁之词话音刚落，他就一脚踩空，重重地跌进了大坑里。巨人的这一摔，真是牵连甚广，山都跟着摇摆了几下。

“哈哈，大蠢货，”杰克说，“可恶的巨人你现在在哪儿呢？哎哟哟，你是不小心掉进坑了吗？真是太可惜了！我现在也能好好折磨你了，你刚才不是还嚣张跋扈地扬言要把我烤着吃掉吗？除了我，就没有其他东西更对你的胃口吗？”杰克一顿冷嘲热讽之后，用镐重重地砸向巨人，只一下就结束了巨人的性命。

做完这些后，杰克把这个大坑用土填满，然后兴冲冲地去搜查巨人藏身的洞穴，他在那里发现了很多值钱的宝物。当官员们听说这件事以后，授予了杰克“巨人杀手”的称号，然后给了他一把剑和一条绶带，绶带上写着金字——“此人智勇无敌，康沃魔亦是其手下败将”。

杰克的英雄事迹很快传遍了英格兰西部地区，而另一个叫布兰德波里的巨人也听说了这个消息，暗自下定决心要为自己的兄弟向这个小英雄复仇。他还扬言说，要是遇见杰克，一定要将他碎尸万段，让他万劫不复。

这个巨人霸占着一座豪华的城堡，城堡坐落在一片偏僻的森林之间。四个月后，杰克在去威尔士的路上无意间走进了这片森林。他赶了很久的路，又累又困，一不小心就在泉水旁歇脚时睡着了。

无巧不成书，正当他酣然入梦的时候，那个扬言要将他碎尸万段的巨人刚好来泉水边喝水，他一看到杰克身上的绶带，马上就认出了这是自己要复仇的杰克。巨人毫不迟疑地把杰克背回了城堡。路上，经过一片荆棘林时，枝杈的沙沙声把杰克吵醒了。杰克醒来后吓了一跳，自己怎么会在巨人的肩膀上呢？更令杰克胆战心惊的是，当他进入城堡后，看见地上堆满了人骨头。巨人张狂地跟他说，他要去找住在这片林子里的另一个巨人，两个人要一起享用杰克。

巨人虽然已经出去了，他那可怕的尖叫声还是让杰克惊魂难定，有句话反复在耳边响起：

尽你所能尽快逃，
否则必成盘中餐；
巨人去请其兄弟，
将你性命吞食掉。

不一会儿，杰克就从窗户看见两个巨人大摇大摆地向城堡走来。“此刻，”杰克想，“命运就掌握在自己手里。”杰克所在房间的角落里刚好堆了许多根结实的草绳，他随手拿起两根绳子，将每根绳子的一端做成套索。

两个巨人刚一进门，杰克就迅速扑上去，用绳索死死套住两个巨人的脖子，然后用力将绳子绕过横梁，使出吃奶的力气使劲地死死勒住，一刻不敢松懈。不一会儿，巨人们的脸就变得一片惨青，杰克确定他们快没气了，已无力挣扎之后，才松开绳索，奋力拔剑刺向了巨人的喉咙，结束了两个巨人的性命。

他从巨人身上拿出了钥匙，打开所有房间的门，发现了三个快饿死的漂亮女人，头发还被紧紧地绑着。

“美丽的女士们，”杰克对她们说，“我已经把这个恶魔和他的兄弟打死了，你们现在重获自由了。”说完，他把钥匙给了她们，继续他的威尔士之行。

由于这段小插曲耽搁了时间，杰克匆忙地赶路，却一不小心迷失了方向。天已经黑了，他还没找到休息的地方。他无意中走进了一道狭窄的山谷，看见一座大房子。他鼓足勇气上前

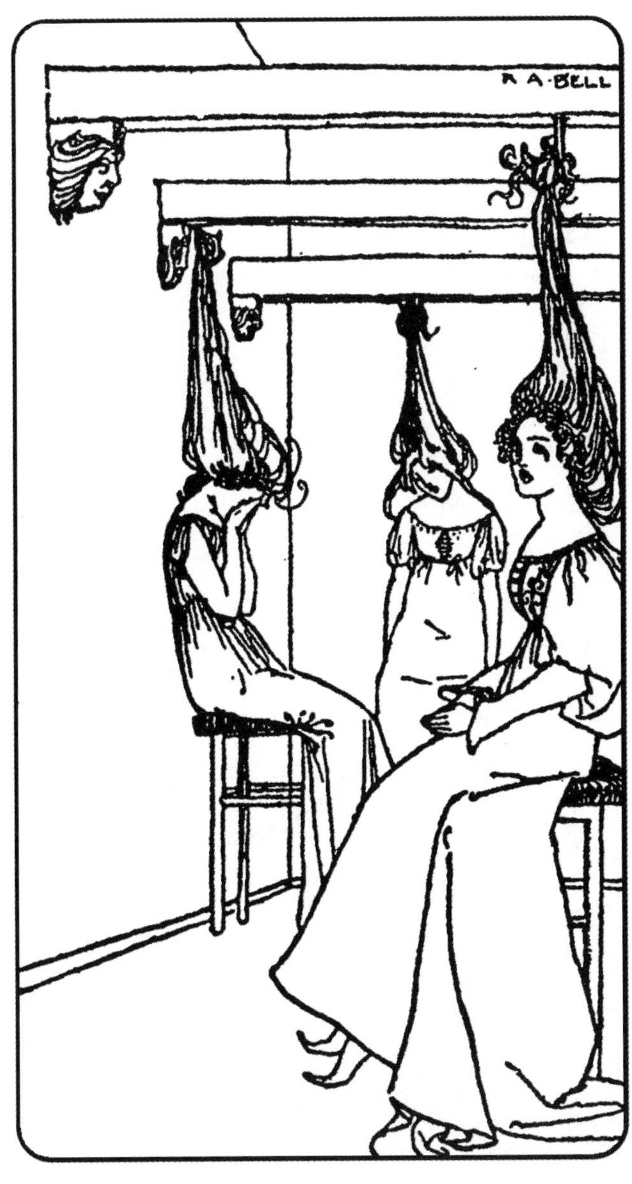
R A·BELL

去敲门，想看看能不能在此休息一晚。令他吃惊的是，给他开门的又是个巨人，而且还长了两个头。但是这个巨人看上去没有别的巨人那么凶。他是威尔士巨人，那种面善心恶的人，总是表面一套背后一套。

杰克请求巨人同意他在此住宿，巨人带他来到一间卧室，安排他睡下。夜深人静之后，杰克隐约听到住在旁边一间的巨人在自言自语：

今晚让你休息，
明早让你死去：
一棒下手，脑袋开花！

“你也就是这么说说吧，”杰克想，“这真是威尔士人的特点，但我可比你聪明多了，我会比你表现得更出色。”接下来，他悄声下床，把枕头放到被子里，伪装成有人正在睡觉的样子，自己则藏到角落里休息去了。

夜深人静之时，威尔士巨人偷偷摸摸地走进屋里，手持木棍拼命向床上打了很多下，心里暗自盘算杰克肯定已经头破血流、骨头都被砸碎了。

但是让他大吃一惊的是，第二天一大早，杰克就笑眯眯地出现了，还十分热情地感谢巨人的盛情款待。

“你昨晚睡得怎么样啊？”巨人试探着问杰克，“夜里有没有什么特殊的感觉？”

杰克假装想了想，然后回答说：“没有什么特别的啊，就是可能有只小老鼠用尾巴扫了我几下。”巨人听了心中暗自诧异，随后就带着杰克去吃早饭，他给杰克端上足有四加仑的速食布丁。杰克为了不让巨人觉得自己吃不下这么多食物，就在自己宽松的外套里偷偷放了一只硕大的皮袋。其实杰克并没有全部吃掉食物，而是塞进了袋子里。然后，他跟巨人说，他想做个游戏。说着杰克拿了一把刀，划开袋子，速食布丁全都原样掉了出来。看到这些，巨人说：“这有什么难的！雕虫小技，我也可以。”说着拿过刀划在自己的肚子上，倒地而亡了。

刚好这时候，亚瑟王的独子向父亲要了一大笔钱，准备去威尔士寻觅自己的幸福——在那个地方生活着一位无比美丽的少女，但却被七个邪恶的灵魂占据着心灵，王子想去解救这个女子，认为她就是自己的幸福。

亚瑟王很担心，百般阻止王子，但用尽了一切办法，都不能阻挡王子的决定。无奈之下，亚瑟王只能放弃。王子殿下自己骑着一匹马，另一匹马驮着钱，就这样毅然上路了。一路跋涉，几天之后，王子终于到达了威尔士的一个集镇。

王子看到一群人聚集在一起，仿佛发生了什么事情，他好奇地向路人询问缘由，然后有人低声告诉他，一具死尸被拘捕了，这人生前欠了别人很多钱，无力偿还。王子愤愤不平地说："那也不能这么残忍哪！"还说，"去把可怜的死者埋了吧，你们都去我那儿，我替他还钱。"债主们蜂拥而至，王子慷慨地替别人还完钱后，身上就只剩下可怜巴巴的两便士了。

巨人杀手杰克刚好也走到这里，他被王子的慷慨善良深深感动了，他诚恳地表示愿意跟随王子，做他的仆人。

王子自然也是欣喜不已。第二天一早，他们就一起上路了，刚要走出镇子，一位老太太叫住了王子，说："那人生前欠了我两便士，你能也还给我吗？"王子把兜里仅有的两便士给了老太太。那天杰克和王子吃完饭后，花光了杰克身上所有的钱，他们此刻已经身无分文了。

太阳快下山了，王子说："杰克，我们一分钱都没有了，今晚住在哪儿啊？"杰克回答说："放心吧，我有位叔叔住得离这儿不远，离这里不足两英里，他是个巨人，有三个头，他身高体健，一次应付五百个人都不在话下。"

"天哪！"王子惊叹地说，"我们去找他干什么呀？那不是送上门找死吗？我们还是别去了吧，我们两个加起来还不够他塞牙缝的呢！"

"王子殿下不要担心，没事的。"杰克安慰王子说，"我先去刺探一下情况，殿下您暂时留在这里等我就好了。"话音一落，杰克立马策马扬鞭向着巨人的住处飞奔而去，没过多久，城堡的大门已然就在眼前。杰克走近大门，使劲地敲门，把门敲得"咚咚咚"轰响，附近的大山中也随着传来"嗡嗡"的回应之声。

巨人的声音像巨雷劈过天空一样，大声地问："是谁在敲门？"

杰克扬声回答道："我是你可怜的侄子杰克啊。"

巨人继续厉声问道："好侄子，你有什么消息带给我呀？"

杰克回答说："亲爱的叔叔，我这次可是给您带来了关系到生死存亡的重大消息呢，我可绝不敢骗您的！"

"好侄子，你开什么玩笑，"巨人轻蔑地说，"对我来说，还能有什么了不得的重大消息？你又不是不知道，我可是个三头巨人，我一个人对付五百人也不在话下，定能打得他们落花流水。"

“叔叔哇，虽说如此，”杰克故弄玄虚地说，“但王子殿下可是浩浩荡荡地带了一千精兵，有备而来，立志要把您消灭掉，还要抢走您所拥有的一切呢！”

“啊，杰克侄子啊，”巨人有些慌乱地说道，“你这消息还真是重大消息呢！我现在马上就找个地方藏起来，暂时避避风头，请你帮我把门锁上，插上门闩，在王子离开之前，你可得一定要保存好钥匙，叔叔的安危存亡就交到你手上了。”

安排好了巨人的藏身之处，杰克关门落锁，转身一溜烟地去接他的主人了。主仆二人在此开心快乐，毫不知情的巨人则一个人躲在地窖里，浑身发抖，焦虑不堪。

次日清晨，杰克给主人精心挑选了一大堆价值连城的金银珠宝，并把王子送到三英里开外的地方。确保巨人再也辨别不出王子的任何味道，杰克这才淡定地只身一人返回巨人那里，把巨人从地窖里放了出来。巨人对杰克感激不已，问杰克想要什么作为保护城堡的回报。

“如果叔叔执意要给的话，”杰克想了一想说，“我也不要什么值钱的东西，叔叔只要把那件旧棉袄、破帽子，还有您那把都已经生了锈的剑，再加上放在您床头的那双破拖鞋给我就行了。”

巨人失声说：“你到底知不知道自己在说些什么？你说的这些破东西，其实都是我最珍贵的宝贝呀。那件旧棉袄一穿上就能隐匿行迹；破帽子能告诉我我想知道的一切事情；那把剑虽然生锈了，却能削铁如泥、吹毛断发；而那双不起眼的拖鞋则让人健步如飞、日行千里。但是看在你救我一命的恩情上，我还是忍痛割爱把它们送给你吧。”

杰克谢过巨人，开心地带着一大堆宝贝尽快离开了。他紧赶慢赶终于追上了王子，他们主仆二人一路狂奔，很快来到王子一心爱慕的那位女子的房前。

那位女子知道王子爱慕着她，便为他准备了十分丰盛的宴席进行招待。宴席结束后，她告诉王子，他必须得去完成一项她指定的任务。她优雅地用手绢轻轻擦了擦嘴，说：“你明天必须带着这块手绢回来给我，否则你就没命了。”说完，她把手绢放进了胸口内。

王子满腹委屈地上床睡觉去了，心里十分难过。杰克从巨人那里得到的破帽子仔仔细细告诉了他如何才能拿到这块手绢。

半夜，这位女子叫她身边的幽灵带她去撒旦那里。杰克赶紧穿上隐身的破棉袄和可以健步如飞的鞋一路跟踪她走过去。她走进撒旦的住处，把手绢递给了撒旦，撒旦随手就把它放到了一个架子上。杰克轻松地把手绢拿到了手，拿回去交给了他的主人。第二天，王子依约把手绢拿出来给这位女子看，总算是保住了自己珍贵的性命。就在那天，这位女子吻了王子一下，并嘱咐王子第二天必须给她看她前一天晚上亲吻过的嘴唇，不然，还是要杀掉他。

“啊！”他说，“你没有亲吻别人，只是亲吻了我的嘴唇的话，我想自己肯定能办到。”

“既不是你也不是别人。”她说，“你要是做不到，你就死定了！”

半夜里，她又跑去了撒旦那里。她对撒旦上次弄丢手绢的事情非常生气。

“这次，”她跟撒旦说，“我对王子要求很苛刻。因为我要是吻了你，他就得向我展示你的嘴唇。”于是，她亲吻了撒旦。杰克趁着这位女子不在旁边的时候，挥舞那把生锈的宝剑，一下砍下了撒旦的头，赶紧藏在隐身衣里，踩着让他健步如飞的鞋赶回去带给他的主人。

第二天上午，王子依照承诺把撒旦的头拿给女子看。就在那一刻，所有的魔咒都解除了，所有邪恶的幽灵都离开了那女子，她又恢复成了以前那个美丽善良的女子。

他们第二天就正式结为了夫妇，并且携手回到亚瑟王宫。杰克由于他的许多非凡事迹而被册封为英勇的“圆桌骑士”。

成功地完成了这些之后，杰克觉得自己不能闲下来，他决定继续为国家和国王做贡献，于是祈求国王赐予他一匹马和一些钱去冒险。“我考虑到，”他解释说，“在威尔士的边陲还有很多巨人，他们破坏着我们的生活，因此，请允许我亲自将他们逐一铲除干净吧。”国王听到这个英勇的请求，十分慷慨地赐予了杰克所想要的，杰克就带着他的装备上路了。

杰克长途跋涉，经过绵延的山脉，终于在第三天来到了一个洞穴前。还没等他进去，洞穴里就传来巨人嗡嗡刺耳的大叫声。巨人的眼睛如灯笼般瞪得溜圆，杰克发现他的头发上还拖着一位美丽的女人和一位爵士——从那巨人从容的样子来看，他就像是戴着一副手套那么轻松。看到这种情形，杰克愤怒得流下了眼泪，然后飞快地骑上马，穿上隐身衣，拔出锋利的宝剑，挥剑砍掉了巨人的腿，最后成功地救下了美丽的女人和爵士。

美丽的女人和爵士得救后，对杰克感恩戴德，邀请他去家里做客。但杰克觉得自己不能停下来，应该继续寻找巨人的洞穴。公爵听到后非常哀伤，说：“尊敬的陌生人，让您再去冒险，我真是于心不忍。怪物住在远处的洞穴里，有个兄弟和他住在一起，那个巨人可比他更凶狠、更残暴呢。所以，您要是去的话，我和太太都非常为您担心，我们和您一起去吧。”

“不用了，”杰克赶紧拒绝道，“就算有二十个巨人，也不用担心，他们一个都逃不了。等我完成自己的任务，再回来看望你们。”

杰克又重新踏上了寻找巨人的征程。走了没多久，他注意到一个洞穴，这就是公爵提到的巨人的住所。洞口处，一个巨人横坐在一截木头上，身边放着一根多节的铁棍。巨人双眼硕大，就像是圆鼓鼓的灯笼一样向外凸着，他脸色冷酷，面颊下垂，像是两块腌肉，胡子像铁丝一样支棱着，垂下的头发像蛇一样。

杰克从马上一跃而下，穿上隐身衣，走到巨人面前，轻声对他说：“嘿，你在那儿吗？我现在要抓住你的胡须了。”

巨人根本就看不到杰克，因为杰克穿着隐身衣。杰克靠近这个巨人，举剑向巨人的头上砍去。可惜的是，他这一剑下去砍偏了，没有砍掉巨人的脑袋，却把巨人的鼻子给割了下来。

巨人疼痛难忍，撕心裂肺地嚎叫，发疯了一般拿起铁棍四下里胡乱挥舞。杰克穿着隐身衣悄悄躲在巨人的身后，把剑深深地插进巨人的脑袋。巨人轰然倒地，撒手西去了。

打败了巨人后，杰克割下巨人的头，连同巨人兄弟的头，专门雇了辆马车，将它们送给亚瑟王。

杰克决定去洞里一探究竟，看看有没有什么宝藏。蜿蜿蜒蜒地走了很久的路，他终于走进一个地上铺满石头的大房间。里面有一大锅煮沸的开水，还有张大桌子，杰克暗自猜想这里应该是巨人吃饭的地方。然后他信步走到一个窗前，窗用铁栅死死封住，透过铁窗，他看到里面关着许多衣衫褴褛的可怜人。那些人看到他，纷纷大叫："哎呀呀！小伙子啊，你也是被巨人抓进来，像我们一样要悲惨地被关在这里的吗？"

"呃，"杰克迟疑了一下说，"请先告诉我，你们为什么被关在这里？"

"我们被困在这里，"一个人告诉他，"只等巨人们举行盛宴的时候，我们中最胖的那个人就要被他们残忍地吃掉！他们就是这么凶残，以我们为食！"

"竟然是这么一回事。"杰克马上打开门，把这些可怜人全都放了出来。所有的人死里逃生后都欣喜若狂。接着，杰克搜查了巨人的宝箱，把里面的金银财物跟这些可怜人平均分了。

第二天早上，看见所有人都回家了，杰克也骑上马继续赶路，人们给他指了方向，晚上他到了公爵的家。他在那里度过了非常愉快的时光，爵士和夫人都很尊敬杰克，并盛情款待他多日，其他的爵士也是一样对杰克推崇有加。富裕的爵士送给杰克一个美丽的圆环，上面精雕细刻着巨人拖着爵士和夫人的图片，上面写着：

回忆往昔满怀悲怆，
历经巨人疯狂折磨，
今天得到生命自由，
都是仰仗英雄杰克。

正当大家沉浸在一片欢乐气氛中时，有人传来话说，双头巨人桑德戴尔得知自己同伴被打死的消息后，从遥远的北方山谷赶来找杰克报仇，已经到了离这个城堡不足一英里远的地方。周围的民众四散逃窜，唯恐避之不及。但杰克听了一点儿也不害怕。他说："让他来吧！我好把他的牙拔了。尊敬的女士们、先生们，请你们先藏到花园里，你们会亲眼看见巨人桑德戴尔是如何死在这里的。"

城堡位于一个小岛中央，周边是一条三十英尺深、二十英尺宽的河，河上修建有一座吊桥。杰克让人把吊桥的两端都用刀砍了几下，砍到将断未断的程度。然后，杰克淡定地穿上隐身衣，挥舞着那把削铁如泥的锋利宝剑向巨人迎面扑了过去。虽然巨人看不见杰克，但他能闻见杰克的味道，便大叫：

哼哼哈嘿！
英国人味进我鼻，
不管你是生或死，
都要立刻让我充饥！

“听你这么一说，”杰克说道，“你应该就是磨坊巨怪吧。”

巨人又抓狂地嚎道：“听说你杀了我的兄弟，我要咬碎你，吸干你的血，把你的骨头碾碎成粉末！”

“这之前你得抓住我才行啊。”杰克说着，脱掉他的隐身衣，这样巨人就能看见他了。然后杰克穿上他的飞鞋，从巨人身边一溜烟跑开了。巨人想去追赶杰克，他身形魁梧，走起路来就像一座城堡在移动，他每走一步，地都跟着颤一下。

杰克引着巨人走了一段时间——这么做只是为了让人们看见。最后他轻快地跑上了吊桥，巨人还在他的身后穷追不舍。当巨人跑到桥中间时，由于他太重了，扑通一声掉了下去，掉进了水里。

巨人奋力挣扎，就像一头受困的鲸鱼一样，痛苦不堪。杰克站在岸边，尽情地嘲讽河里的巨人。巨人浮上来的时候听到杰克的嘲弄，他一次又一次地挣扎着想努力跳出水面，但总也爬不上岸来。

最后，杰克找来结实的绳索，抛向双头巨人，套住他的头，用好几匹马才把他拖上岸来，然后一剑割下巨人的双头，送给亚瑟王。

经过一段时间的休息放松，杰克拜别爵士和夫人，重新踏上了新的旅程。他穿过了一大片森林之后，终于来到了一座山脚下。深夜，他找到一座房子，敲了敲门，一个白头发的老头儿来开了门。

“大爷，我赶路到很晚，迷失了方向。”杰克说，“您能让我在这儿歇歇吗？”

“当然啦，”老头儿和善地说，“我非常欢迎啊。”杰克走进屋里，坐在老人旁边。老人对他说：“孩子，看你的绶带，你是巨人杀手哇。但你可得小心，这座山的山顶上有座中了魔咒的城堡，被一个叫加里甘托的巨人霸占着。一个巫师助纣为虐，帮这个巨人做了很多坏事，抢掠了许多骑士和他们的太太，把他们囚禁起来，用魔法把他们变成各种各样的形状。

“最让人心疼的是一位公爵的女儿，她的命运最是悲惨。他们把她从公爵家中的花园里抢来，用怒龙驾驶的烈火战车把她带到城堡里，变成了一只白鹿囚禁起来。许多骑士试图破除魔咒，解救公爵的可怜女儿，可都是铩羽而归。这都是因为城堡大门口那两只可怕的怪兽，它们会吃掉所有接近城堡大门的人。

“不过，你，我亲爱的孩子，你可以身着隐身衣，走过去而不被发现。在城堡的大门上你会看到雕刻的大字，那就是破解魔咒的窍门所在。”

杰克紧紧握住老人的手，发誓明早即使舍去自己的性命，也要努力救下公爵的女儿。

早上，杰克起床后，穿上隐身衣，戴上神奇的帽子，穿上可以让他健步如飞的鞋，准备打一场硬仗。他到了山顶，一眼就看见那两只凶恶的怪物。杰克穿着隐身衣，坦然地从怪物身边走过，一点儿也不害怕，因为怪物根本就看不见他。他走到怪兽后面，看见一只金喇叭系着银链子挂在城堡的门上。喇叭下面刻着这样几行文字：

谁人大声吹响喇叭，
巨人脑袋自然搬家，
魔咒立刻烟消云散，
囚禁众人重获自由。

杰克看完这段话，立即大声吹响金喇叭。嘹亮的喇叭声，声声震耳，响彻城堡每一个角落，整个城堡都振奋起来。巨人和巫师吓得惊慌失措，咬着大拇指，撕扯着头发，他们意识到自己邪恶的生活可能要结束了，巨人刚要弯腰取棍棒时，杰克一剑砍下了他的脑袋。巫师跳到空中，随风跑了。魔咒解除了，所有的爵士和太太都恢复了原来的样子，城堡也在烟雾中消失了。

作为对杰克的奖励，国王说服公爵把女儿嫁给杰克。他们幸福地结婚了，整个王国都欢呼雀跃，从此杰克和美丽的妻子过上了幸福的生活。

美女与野兽

从前有一位非常富有的商人，他有六个孩子——三个男孩儿，三个女孩儿。商人是位好父亲，他含辛茹苦地把孩子们养大，并告诉他们世间万物都很美好。

商人的女儿们都很漂亮，他的小女儿最为美丽动人，她在小的时候就被叫作“美女”，长大以后她就一直沿用这个名字，由此两个姐姐对她格外嫉妒。美女不但比姐姐们漂亮，而且心地善良，品德高尚。姐姐们都因为家里有钱而十分傲慢，一副上等人的做派，只一门心思地想要结识比自己条件更好的人，每天出入舞会和剧院，还嘲笑美女整天只知道看书学习。

人们都知道姐妹三个很富有，许多有钱的商人向她们求婚，但两个姐姐总是说自己只嫁给公爵，至少得是个伯爵。而美女呢，她感谢那些向她求婚的人，跟他们解释说自己还太年轻，还想再多陪父亲几年。

突然有一天，商人失去了所有的财富，变得身无分文，只剩下一间离城镇很远的乡下小屋。他哭着对孩子们说，他们要

搬到那里生活，干活儿谋生。两个大女儿说她们不愿离开城镇，有好几个恋人即使知道她们破产了，也仍然会乐意娶她们为妻的。不过她们想错了，这些恋人都因为姐妹俩没有钱而冷落、抛弃了她们——因为没人喜欢她们的傲慢。

大家都议论说："她们可不值得可怜，真高兴能压压她们的傲气，让她们一边放羊一边去摆贵妇人的臭架子吧。只是可怜了美女，她可是个好姑娘，温柔善良，对穷人也是和声细语的。"

有几个绅士提出愿意娶她，虽然他们知道她身无分文。美女跟他们说，她从没想过危难时离开自己可怜的父亲，她决定和父亲一起去乡下，安慰他，并尽其所能帮助他。

可怜的美女看到家中破产，起初也很沮丧，但是后来她对自己说："哭管什么用？眼泪又不能帮我把失去的财富找回来，没有钱我也要高高兴兴地生活下去。"

来到乡下后，商人带着三个儿子每天耕田种地。美女每天凌晨四点就早早地起床，打扫屋子，然后为全家人张罗饭

菜。起初，美女觉得很难，因为她没有干惯家务活儿。但是不到两个月，美女变强壮了，也比以前健康了许多。每天，美女干完活儿，就看看书，弹弹琴，或者在纺纱的时候唱唱歌。相反，她的两个姐姐无聊得很。她们十点才起床，整天游手好闲，无事可做，就知道抱怨没有好看的衣服穿，不能见到老熟人。

“瞧瞧我们的妹妹，”美女的一个姐姐对另一个说，“天生是副可怜愚蠢的样儿，居然满足于这么悲惨的命运。”可善良的商人却不这么想，他非常清楚，美女不但比姐姐们漂亮，也比她们聪明得多。商人非常欣赏小女儿谦逊和勤劳的品格，尤其是她的耐心，因为两个姐姐不仅把所有的家务活儿都丢给她一个人做，还一有机会就指责她。

就这样，一家人在这样孤独寂寞且艰难的环境中生活了一年。一天，商人突然收到一封信，上面说有一艘他的货船已安全抵达。这个消息让两个姐姐高兴得差点儿晕过去，她们觉得终于可以离开这种令人难受的乡下生活了。看见父亲准备出发，两个大女儿哀求父亲给她们买礼服、帽子、戒指和各式各样的小礼物；而美女呢，她什么也没要，她觉得父亲把货物全部卖掉赚来的钱还不够买姐姐们要的东西呢。

“我的小美女，你想要什么呢？”父亲问她。

“既然您如此仁慈想到了我，”美女说，“我们的花园里没有玫瑰，那就恳求您给我带枝玫瑰花吧。”

善良的商人踏上了旅途，可他到了城镇以后，却因为货物跟人打了一场官司，经过种种艰难困苦之后，他又像从前一样一贫如洗了。

离家不到三十英里了，商人想到马上就能又见到孩子们，非常高兴，可穿过一片大森林时，他却迷了路。大雪纷飞，风如此强劲，有两次都把他从马背上刮了下来。天渐渐黑了，商人相信自己即使不被冻死、饿死，也会被周围嚎叫的狼群吃掉。突然，顺着一条长长的林荫道望去，他看见了光亮，朝着亮光走去，不远处有一座宫殿，灯火通明。商人感谢上帝的指引，急忙走进宫殿。令他吃惊的是，宫殿的庭院里一个人也没有。

商人身后的马看见一间大马厩就立马跑了进去，里面有许多干草和燕麦，可怜的马饿极了，大口吃了起来。商人把马拴在马槽上，向宫殿走去。

宫殿里没有人，他进了大厅，看见有炉火，还有一张摆满了丰盛食物的桌子，上面只有一份餐具。商人已经被雪淋透了，于是他坐到壁炉旁烤火。

“希望房子的主人或是他的仆人能够原谅我的冒昧，在他们出现之前把衣服烤干不会用太长时间的。”他自言自语道。

等了好久，十一点的钟声敲响了，还是没有人来。最后，商人实在是饿得受不了了，拿起一只鸡，两三口就狼吞虎咽地吃完了，几杯酒下肚，胆子也更壮了一些。他走出大厅，穿过一间间陈设华丽的房间，走进了一间卧室，里面有一张超级大的床。这时已经过了午夜时分，他早已疲惫不堪，就插上门躺下睡了。

商人一直睡到第二天上午十点才醒来。他惊奇地发现在原来放着他那身脏衣服的地方，放着一套贵重的新衣服。他自言自语道："这座宫殿肯定是属于某位善良的仙女的，她看见了我的种种不幸，非常同情我，才会如此待我。"商人向窗外望去，雪已经停了，只见一片乔木林和美丽的花朵交织在一起。回到昨晚吃饭的大厅，他发现一张小桌上放着巧克力奶。

"谢谢您，善良的仙女！"他大声说道，"谢谢您这么贴心地为我准备早餐。"

善良的商人喝完巧克力奶，就去牵他的马。穿过一片玫瑰树林时，他想起了美女要他带一枝玫瑰给她，心中一动，就精心挑了一枝花多的玫瑰折了下来。

就在这时，只听见一声巨响，一头凶神恶煞似的野兽向他徐徐走来，他大吃一惊，吓得差点儿昏过去。

“不知感恩的家伙！”野兽用可怕的声音大声斥责道，“我救了你的命，让你在我的宫殿里过夜。你却恩将仇报，偷我最珍爱的玫瑰花，你要为此付出生命的代价，我给你一刻钟时间，赶快去向上帝祈祷忏悔吧。”

商人心中一片慌乱，吓得扑通跪地，举起双手求饶：“主啊，饶了我吧！我真的没有要冒犯您的意思。我只是想摘一枝玫瑰给我的一个女儿，我走之前她曾请求过我给她带回一枝玫瑰花。”

野兽说：“我可不是主，我是野兽，我才不喜欢你那些虚伪的恭维话呢，我喜欢人们心口一致，别指望说些好听的话就能打动我。你刚才不是说你有女儿吗？那好，要是她们当中有一个愿意来替你死，我就原谅你。不用多说了，走吧，你得发誓，如果你的女儿们都不愿意替你受死，那你就要三个月内再回到这里来。”

商人并不想牺牲女儿，不想让她们在野兽这儿替自己抵命，但是他想，至少自己还有机会能再次见到孩子们。

于是他立刻承诺自己一定会回来。野兽告诉他，他随时都可以走。

“不过，”野兽补充道，“你不能空着手走，回到你睡觉的房间，你会看到一个很大的空箱子，把它装满你喜欢的东西，我会把它送到你家里的。”野兽说完就转身离开了。

商人心想：“即使我必死无疑，那我也应该感到安慰了，起码还能给孩子们留下点儿东西。”

他回到卧室，发现了大量的金币，于是往野兽刚才告诉他的那个空箱子里装满了金币，装完锁好，然后把马牵出马厩，转身离去。唉，进入宫殿时的满心欢喜已经荡然无存，此刻的他带着满心的惆怅离开。

马踏上了一条林中小路，奋足狂奔。经过几小时的颠簸之后，商人终于回到了家中。孩子们都满心欢喜地出来迎接他，商人没有为女儿们的热情迎接感到高兴，而是站在那里难过得哭了起来。他拿出带给美女的玫瑰花枝，对她说：“美女啊，拿着这些花吧。你不知道这些花会让你可怜的父亲付出多大的代价。”于是他把遇到的种种不幸全部告诉了孩子们。

两个大女儿尖叫起来，对没有哭的美女没好气地斥责说：“看看这个小坏蛋的高傲带来了什么！她不像我们一样要好看的

衣服，结果呢，都是她那特殊的要求害了父亲，可她现在连哭也不哭一声！”

“为什么要哭呢？”美女毅然答道，“父亲不会死的，没有必要哭哇。既然野兽要一个女儿来换，那我就把自己献给他。想到我的死能挽救父亲的命，还能证明我的爱，我很开心。”

“不，妹妹。”美女的三个哥哥说，“不能这样，你不能去。我们三个去找野兽拼个你死我活。”

“你们一定无法想象，我的儿子们，”商人说，“野兽力大无穷，你们打不过他的。美女心地善良，这让我很感动，但我不能让她替我去送死。我老了，活不了几年了，我只是遗憾不能再多陪你们几年，我的孩子们。”

美女说：“父亲，您不能丢下我一个人去宫殿，我会一直跟着您，您甩不掉我的。”不管他们怎么说，美女执意要去宫殿，但她的两个姐姐并不难过，因为她的善良一向都让她们嫉妒。

商人一想到要失去自己的女儿就悲痛不已，全然忘了装满金子的大箱子。晚上，他一关上房门却惊奇地发现那个箱子就在床边。不过，商人并不打算告诉孩子们他又有钱了。虽然他的两个大女儿想回到城里去，但是他没有要离开乡下的意思。商人只相信美女，就把这个秘密告诉了她。

美女告诉父亲，在他走的时候，有两位先生来向姐姐们求婚，她恳求父亲同意她们结婚并分给她们财产。美女如此善良，她爱她的两个姐姐，也衷心原谅她们的所作所为。

在和妹妹分离的时候，这两个坏家伙用洋葱涂抹眼睛强迫自己流出眼泪，但美女的哥哥们是真的担心她。分别时，唯独善良的美女没有哭泣，因为她并不想徒然增加家人的悲痛。

马在夜光下径直跑向宫殿，商人和小女儿看见了灯火辉煌的宫殿。马进了马厩，父女俩走进大厅，看见那里摆着一张长长的桌子，上面放了两套餐具。

商人可没有心情吃饭，但美女表现出很开心的样子，坐下来帮着父亲弄这弄那。随后，美女心里暗自揣测："野兽提供了这么好的晚餐，他肯定是想喂肥我然后把我吃掉。"

正在进餐时，一声巨响，商人觉得野兽快要来了，便含着泪和女儿告别。看到野兽可怕的样子，美女害怕极了，但她还是尽可能地鼓起勇气。野兽问她是不是自愿来的。"是……是的。"美女颤抖着回答。

"你如此善良，我很感谢。诚实的人哪，明早你就回去吧，别再回来。再见，美女！”

“再见，野兽先生！”美女终于松了一口气，悬着的一颗心也放下了。野兽说完就转身离开了。

“我的女儿啊，”商人欣喜若狂，抱着美女说道，“吓死我了，你最好回去，让我待在这儿吧。”

“不，父亲，”美女坚定地说，“还是您走吧，让我留在这里，有上帝照顾和保护我呢。”

到了睡觉的时候，父女二人以为自己可能整晚都不能合眼，可刚躺下来，他们就睡着了。美女梦见一位美丽的仙女走过来，亲切地跟她说：“美女，你这么勇敢，我很高兴。你愿意放弃自己的生命来救父亲，你的善举会得到回报的。”

美女醒来后把梦告诉了父亲，虽然这让商人感觉舒服了一点儿，但要离开自己的宝贝女儿时，他觉得自己可能再也见不到她了，禁不住痛哭流涕起来。

商人依依不舍地离开后，美女坐在大厅里伤感地哭了起来，但她对上帝说她要做个坚强的女孩儿。而她一心觉得野兽今晚会把她吃掉，所以她决定在接下来的有限的时间里不再自寻烦恼。

她好奇地四处转了转，环顾这座城堡，不禁赞叹起来：“这可真是个漂亮的地方啊。”

转着转着，美女惊奇地发现一道门上写着“美女的房间”。她打开门，里面华丽的一切让她感到眼花缭乱，一间很大的书房里摆着一架大键琴，还有很多关于音乐的书。美女心中暗自想道：“他要是想马上吃掉我，肯定不会为我准备这些东西的。”于是，她鼓起勇气打开书房，看到一封用金粉写的信，上面写着：“我希望并要求你，成为这里的女王和女主人。”

美女叹了口气，暗自想道：“唉，我只想能再看见我那可怜的父亲，知道他现在在忙些什么……”正想着，美女就在跟前的一面大镜子里看见了自己的家，她的父亲刚刚愁眉苦脸地回到家，两个姐姐出来迎接他，尽管她们装作一副悲伤的样子，却难掩因妹妹离开而涌出的喜悦。而后，镜子里的景象消失了。美女觉得这些足能证明野兽还是很善良的，于是她不再害怕他了。

那晚，美女回到大厅，发现晚饭已准备好，用餐时耳边还响起了最动听的音乐。吃完饭，桌子被清理干净，上等的酒和美味的水果被端了上来。和昨天同一时间，她听见了野兽的声音。野兽进来后走向不敢抬头看他的美女，说道：“我可以坐在你旁边吗？”美女回答：“你请便吧。”

“不是这样的，”野兽解释道，“你是这里的女主人，如果我在这里让你不舒服，那我就走。可是，美女，你告诉我，你觉得我长得很丑吗？”

“是的，”美女回答说，“这是实话。虽然如此，但我仍觉得你人很好。”

“你说得对，”野兽说，“但这不是全部，我不但长得丑，而且愚笨。我知道我只是头野兽。”

“觉得自己不够聪明并不是真的愚笨，”美女轻声安慰道，

“不要这么想。”

“啊，好吧。”野兽说，“美女，开心点儿。如果之前有事让你觉得不开心，我很抱歉。”

美女告诉野兽说：“你很好，野兽先生。真的，我一想到你心地善良，就觉得其实你也没那么丑啦。”

“哦，是的，”野兽说，“我的心是好的，可我到底还是头野兽。”

“这世上有许多人比你更像野兽。”美女说，“他们美丽的外表下隐藏着一颗无情的心，和他们相比，我更喜欢你。”

“啊，”野兽说，“如果我没那么笨，我可能会知道怎么感谢你。”

就在这言语的来来往往中，美女渐渐有了勇气，可当野兽握住她的手，用温柔的声音问她：“那你愿意嫁给我吗？”她差点儿吓晕过去，急忙抽回自己的手，没有回答。野兽深深地叹了口气，离开了。

第二次出现时，他一副悲伤沮丧的样子，什么也没说。几个星期后，野兽又问了同样的问题，这次美女回答了他：“不，野兽先生，我不能嫁给你，但是我希望能尽我所能让你快乐。”

“你做不到的，”野兽说，“除非你能嫁给我，不然我就得死。”

“不，别这样说，”美女说，“我不可能嫁给你的。”野兽怏怏不乐地离开了，比从前更加不快乐。美女心生同情，叹息道：“唉，这么好的人却长得这么丑，多可惜呀。”

在此期间，美女没有忘记父亲。有一天，她非常想知道父亲过得怎么样，在做什么。在那一瞬间，她盯着镜子，看到父亲卧病在床，而两个姐姐却在另一个房间试穿好看的裙子。看到这悲伤的一幕，美女伤心难忍，痛哭流涕。

野兽像往常一样过来，看见美女在伤心地哭泣，就急切地询问原因。美女把自己在镜子里看到的景象告诉了他，恳求他让自己回去照顾父亲。野兽问她，如果让她走的话，她能否保证周日一定回来。美女向他承诺一定会如约回来的。

“那好吧。”野兽答应了，“明天你就能出现在家里。啊，但是别忘记，你一定要再回来，你想回来的时候只需要睡觉时把戒指放在桌子上就可以。再见，美女。”

野兽说完的时候，美女不禁松了口气，终于能回家了，但是她必须得让野兽觉得她很痛苦，所以睡觉的时候依旧表现得很悲伤。

早上醒来时，美女发现自己已经回到了父亲的小屋。她按响床头的铃，仆人进来了，看见她躺在床上以后大吃一惊，大声尖叫起来。善良的商人听见声音，匆忙赶过来，看到宝贝女儿高兴得要命。刚团聚在一起，父女俩就把种种不幸抛在了脑后。美女想起她没有礼服穿，仆人告诉美女，她刚刚在隔壁房间发现了一个大衣柜，里面全是金光闪闪的礼服，上面还镶有华美的宝石。美女由衷地感谢好心的野兽，选了一件最简单的裙子穿上。她想把这些衣服留给两个姐姐，就让女仆把其余的都锁起来，可还没等说完，柜子就消失了。父亲说野兽先生是希望她自己留着这些衣服，结果话刚说完，衣柜和里面的衣服又回到了原来的位置。

美女刚穿好礼服，两个姐姐带着各自的丈夫也回来了。

她们过得都不幸福。大姐嫁给了一位英俊年轻的男士，可他只爱自己的面容，一天到晚什么也不想，也从不注意妻子的美貌；二姐嫁给了一位很有智慧的人，可他的聪明只会惹怒别人，现在也总是惹妻子生气。

两个姐姐本来希望野兽把美女吃掉，可她竟然又回来了，这让她们非常生气。看到美女穿得跟女王似的，像花一样漂亮，她们更生气了。美女的拥抱并没有用，没有什么能阻止她们心中的妒忌之情，尤其是当她们听说美女生活得很幸福，就更嫉妒了。

两个人来到可以让她们随心所欲畅谈的花园，偷偷交谈起来：“为什么这个小坏蛋比咱俩过得还要好？”

大姐对二姐说："我想到一个主意——我们想办法留她超过一个星期，野兽就会因为她不守诺言而发怒，等她一回去就会立马把她吃掉。"

"好主意，姐姐！"另一个说，"我们要留住她。"

为了实现她们的诡计，姐妹俩对美女大献殷勤，美女为此非常欣喜。一个星期过去，美女该走了，两个姐姐就揪着自己的头发，装作非常悲伤的样子，美女只好答应她们再住一个星期。

但美女又责备自己，因为这样做可能会给可怜的野兽带来痛苦。她打心眼儿里喜欢他，渴望再见到他。在家里的第十个晚上，她梦见自己回到宫殿的花园，看见野兽躺在草地上奄奄一息，责备她不顾情意。

美女突然惊醒，眼泪夺眶而出。"啊！"她说，"野兽对我那么好，我怎能这样不知感激，让他伤心。他又丑又笨有什么错？他这么善良，比其他人好得多。我为什么不能嫁给他呢？姐姐们并没有因为丈夫的美貌和智慧而过得好，不管怎样，我应该都会比她们幸福的。不，我不能再让野兽先生伤心了，如果真的这样辜负他，我会责怪自己一辈子的。"

于是，美女起身把戒指放在桌子上，又睡下了。醒来后，她发现自己又回到了宫殿，一切照旧，但是当初迎接她的美妙音乐不再响起，万物笼罩在一股阴沉的气氛中。美女感到莫名悲伤，却又不知缘由。

和往常一样，美女一心盼望着野兽的到来，可野兽没有出现，她不知道是怎么回事。美女因没有如约返回而自责不已，担心野兽因为悲伤而死。她在宫殿的每个角落寻找野兽，可是跑遍了每个房间，还是没有看见他。她想起了那个梦，心痛地跑到花园，走向一条小河，在河边看见了野兽，和梦中的情景一模一样。

她来到那块草地，可怜的野兽躺在那里，如同死去一样。美女跑向野兽，跪在他身边，发现他还活着，就赶快从河里打了点儿水，浇在他的头上。

野兽睁开眼睛，对美女说："你忘记了你的诺言，我只得死去。"

"不，我亲爱的野兽，"美女哭喊着，"你不能死，你要活下来做我的丈夫。我本以为我对你只是友谊之情，但是现在我知道了，我是真心实意地爱你。"

美女话音刚落，野兽就消失不见了，躺在她脚下的竟是一位英俊的王子，他感谢她解除了自己身上的魔咒。此时，整个宫殿灯火通明，音乐声响起，铃声传出悦耳的旋律。可美女一心只想着她亲爱的野兽先生，无心欣赏这些美景，她问王子要去哪里才能找到他。

"他就在你眼前啊。"王子回答道。他告诉美女，有一个恶毒的仙女诅咒他，把他变成了一副野兽的模样，直到一个漂亮的姑娘愿意嫁给他，魔咒方能解除。

“你是这个世界上唯一不在乎我的外表而被我的性情打动的人，宫殿和我所有的一切加起来，也比不上你的善意。”说着，王子领着美女来到宫殿的大厅，厅内挤满了人。王子被施了魔法，大臣们也被隐藏了起来，而当王子又变回原来的样子时，他们也随即恢复了原样。

美女高兴地看到，父亲和姐姐们被一位仙女带到了这里，而她就是出现在美女梦中的那位好心的仙女。她对美女说：“你美丽聪慧，又选择了高尚的品德，你的选择是明智的，这是你应得的报偿。”

接着，仙女转向眉头紧锁的两个姐姐，把她们变成两座雕像，作为惩罚，立在妹妹的宫殿门前，直到她们的铁石心肠变得柔软，才能变回原形。就这样，王子同美女结了婚，一起幸福地生活了很多年。

蓝胡子

从前有一个人，他很富有，在城里和乡间都有很多漂亮的房子、各式各样的金银餐具，家里的家具上盖着花式图案的缎子，富丽堂皇的马车由金银镶嵌。

唉，不幸的是，这个人长着蓝胡子，看起来又丑又可怕，人们都躲着他。

他的一个邻居是位高贵的夫人，有两个漂亮出众的女儿。蓝胡子请求夫人把其中一个女儿赐予他为妻。可是两个女儿都不愿意，互相推托，谁也不想嫁给一个长着蓝胡子的人。更让

她们厌恶的是，蓝胡子已经娶了好几个妻子，她们却相继失踪，没有人知道她们后来到哪儿去了。

蓝胡子想寻找机会认识这两个姐妹，就邀请她们还有她们的母亲，以及她们的几个年轻的伙伴，来到他的乡村别墅里小住一个星期。他们一起狩猎、钓鱼、举行宴会、跳舞、听音乐，玩得很开心。他们夜间几乎不怎么睡觉，相互之间开各种各样的玩笑嬉闹。一切都是这么惬意，小女儿开始慢慢觉得这位男主人的胡子也没有那么蓝了，他可能是个好人。所以回到镇上以后，他们就结婚了。

当月月底，蓝胡子对妻子说，由于要做一笔重要的生意，他必须出一趟门，至少需要在外六个星期。他希望自己不在家的时候，妻子能过得开心，她可以邀请好朋友到家里做客，如果她愿意，也可以和他们一起到乡下玩，总之不管去哪里，她都应该好好款待他们。

蓝胡子对妻子说：“这是两个大贮藏室的钥匙，里面放着我最好的家具；这些钥匙是锁那些节日时才能使用的金银餐具的；那几个是开装有珠宝的那些箱子的；这个是打开所有房间的主钥匙。还有这把最小的钥匙，它是打开楼下长廊尽头那个小屋的——你可以打开所有房间，也可以去任何地方，但是我不允许你进那个小屋，如果你打开它的话，我会很生气的。”

妻子答应会遵从他的吩咐。于是，蓝胡子和妻子依依不舍地吻别后上了马车，踏上了旅途。

妻子的邻居和朋友都迫不及待拜访她，来看看她华丽的房子——蓝胡子在家时，他们可不敢来，因为他们都很怕蓝胡子。他们喜滋滋地参观了许多房间，欣赏各种壁橱、衣柜等，试穿一件比一件华丽漂亮的衣服。来到走廊，他们又禁不住赞叹那无比精美的地毯，以及床铺、沙发、橱柜、餐柜、餐桌，还有

那些见过的最好看的大镜子，有些是玻璃的，有些是银的和真金的，可以从头照到脚。他们都对朋友的富有送上真诚的赞美并表达羡慕。妻子并没有因为朋友们的赞美而开心，她等不及要离开去那间神秘的小屋里一探究竟。

她的好奇心越发强烈，全然忘了把客人丢下是多么无礼的行为。她顺着一个隐秘的楼梯匆匆忙忙往下跑，有好几次差点儿扭到脚脖子。走到小屋的门前，她停顿了一会儿，想起丈夫的命令，心里十分担心，要是违抗，可能会有不幸降临到她的身上。但好奇心诱惑着她取出那把小钥匙，颤抖着打开了小屋的门。

窗户是关着的，刚进去什么也看不见。几分钟过后，她看到地板上满是血迹，墙上挂着几具女人的尸体，血就顺着她们的脚流下来。她们都是蓝胡子的前妻，喉咙都被割断了。她怕得要命，惊慌之下，刚从锁里拔出来的钥匙从手中滑落在地。

她醒过神，捡起钥匙，看了一眼门，跑回楼上的房间。“这不可能，这不可能！”她吓坏了。

钥匙上沾了血迹，她一遍一遍地清洗，可血迹还在。怎么洗都没有用，不管她是用沙子还是用砖灰擦，都弄不掉上面的血迹，钥匙像是被施了魔法，不能完全变干净。血迹从一边刚洗掉就在另一边又出现了。

当晚蓝胡子外出回来，说他在路上收到了信，他的生意提前顺利完成了。妻子虽然暗地里很害怕，可还是强颜欢笑，尽力表现出很高兴丈夫能这么早回来的样子。

第二天早晨，蓝胡子向她要钥匙，她就把钥匙给了他，但是颤抖的手让蓝胡子很快就发觉发生了什么。

“怎么回事？”他问道，“怎么不见我小屋的钥匙？”妻子回答：“啊，我肯定是把它放在楼上的桌子上了。”

“一会儿把它给我。”蓝胡子说。

反反复复询问几次后，妻子没了办法，只得把钥匙交给他。蓝胡子仔细地检查完钥匙，对妻子说：“钥匙上怎么会有血？”

“我不知道！”妻子低声说，脸吓得发白。

蓝胡子对妻子说：“你不知道，我知道，很好。你进了小屋，太好了，女士，那你就再进去一次，在你看见的那些女士中间给自己找个位置吧。”

妻子跪在丈夫脚下，哭着哀求他原谅自己没有听他的话，她为自己的错误忏悔不已，每说一句话都悲痛万分。她这么漂亮，足以让石头变得柔软，可蓝胡子的心比石头还硬。

蓝胡子说：“你必须得马上死！女士！”

“既然我必须死，”妻子满含泪水地抬起头，凄凄切切地望着他，“那么请给我一点儿时间祷告吧。”

“我给你十分钟，”蓝胡子答应了她的请求，“就十分钟，一分钟也别想多！”

当确定只有自己一个人时，妻子赶紧叫来她的姐姐：“安妮姐姐，求你了，快上楼，到塔顶上去，看看我的哥哥们来了没有，他们答应我今天要来看我的，如果他们来了，招呼他们快点儿。”

安妮姐姐走上塔顶，她那可怜的妹妹一遍遍地在下面问她：“安妮，我的好姐姐，你看见他们了吗？”姐姐安妮回答：“我只看到闪耀的阳光和绿绿的草丛。”

这时，蓝胡子手里拿着一把大力军刀，大声地咆哮着："马上给我下来！不然我就上去了！"

"马上，求你了！"妻子回答。然后她低声问："安妮，我的好姐姐，有人来了吗？"姐姐安妮回答："我只看到闪耀的阳光和绿绿的草丛。"

"快点儿给我下来！"蓝胡子怒吼着，"不然我就上去抓你！"

“我这就来！”妻子回答，然后她哭着问：“安妮，我的好姐姐，他们来了吗？”

“嗯，我看见了，”姐姐安妮说，“我看见有东西向这边走来，掀起一阵尘土。”

“是我的哥哥们吗？”

“唉，不是，只是一群羊。”

“下来！”蓝胡子凶狠狠地叫喊着。

“再等一下！”妻子回答。

“啊，我看见两个骑马的人朝这边过来了，但是还离得很远……”姐姐安妮说。

“哦！上帝保佑！”她喜极而泣，“是哥哥们，我多么希望他们快点儿过来。”

蓝胡子大声咆哮着，整个屋子都颤抖了。可怜的女士走下楼跪在他跟前，满脸泪水，头发凌乱。

“没用的，夫人，”蓝胡子怒吼道，“你必须死！”说完他一手抓住她的头发，一手将刀举向空中，准备砍下她的头。

可怜的夫人转向他，眼里全是恐惧，乞求他再给她几分钟准备。

“不！”他拒绝了，“这就是你的最后时刻——”说着举起了胳膊。突然，大门那儿传来一阵剧烈的撞击声，蓝胡子马上停了下来。门被砸开了，进来了两个骑士，手里拿着剑，向蓝胡子冲过来。

R
H

蓝胡子马上就认出来他们是妻子的两个哥哥，一个是步军上尉，另一个是骑兵上尉。他转身逃走，两个哥哥紧追不舍，他还没跑到门前的台阶就被截住了，他们用剑刺死了他。可怜的妻子终于松了一口气，但是已经没有力气和哥哥们打招呼了。

不过，没过多久，她就缓过来了。蓝胡子没有继承人，他的妻子得到了他所有财产。她把一部分财产赠予姐姐安妮，后来姐姐嫁给了自己挚爱的年轻人。另一部分则给了她的两个哥哥，而她自己则嫁给了一个非常适合自己的人，细心地照顾她，很快就帮助她忘记了那段关于蓝胡子的不幸经历。

穿靴子的猫

很久以前，有位辛劳的磨坊主撒手西去了，他所留下的财产是一座磨坊、一头驴和一只猫。这些遗产要分给他的三个儿子。没有律师，也没有登记员，但遗产分配还是很快就完成了。老大得到了磨坊，老二分到了驴，可怜的小儿子就只分到了剩下的那只不起眼的猫。

小儿子对自己悲惨的遭遇深感沮丧，他垂头丧气地喃喃自语道："我的大哥和二哥可以合伙，二哥分到的驴可以在大哥的磨坊中拉磨，这样一来，他们就能以此维持生计了。可是，可

怜的我该怎么办呢？唉，要是吃了那只猫，再用他的皮做一只暖手筒的话，那我恐怕很快就要饿死了啊。”

这只机敏的猫听到了主人的这番自言自语，知道了主人的难处，但他相信善良的小主人无论如何都不会舍得对他动手。这只猫思忖再三，便自信地对主人说：“尊敬的小主人哪，请不必如此失落，只要你能给我一个袋子和一双为我量身而做的舒适靴子，不让荆棘刺破我的腿，我就有办法帮助你摆脱困境。很快，你就会发现自己今后的生活并不会像你所想的那么潦倒不堪。”

虽然小儿子对此将信将疑，但不管怎么说，这只猫平时在抓老鼠方面还真的是挺有一套的。不管是大老鼠，还是小耗子，都不在话下，他总有自己的办法，要

么倒挂着，要么就藏在面粉里装死——各种计策层出不穷。因此，小儿子对猫那些帮他渡过困境的豪言壮语也颇有信心。

那只猫如愿以偿得到了他所想要的。他穿上靴子，把袋子挂在脖子上。随后，他用灵巧的前爪将口袋上的绳子死死勒紧，士气高昂地动身向养兔场走去，他计划着在那里大展身手。他往袋子里放了些米糠和苦苣菜，然后伸了个懒腰，四仰八叉地躺在地上装死，就等着一些头脑简单的无辜小兔子被袋子里面的美食所吸引，探进头来享用美食，如此就再也无法脱身了。

一切都不出所料，他刚躺下去，就有一只晕头晕脑的小兔子蹦蹦跳跳地闯进了他的麻袋。无辜的小兔子糊里糊涂地嗅嗅他的麻袋，果然被美食所吸引，便毫无警惕地把头扎进口袋里，打算痛痛快快地享用一顿大餐。这时候这只机敏的猫麻利地封好了口袋，逮住了这只头脑简单的兔子后便毫不留情地将它送上了不归路。

R
H

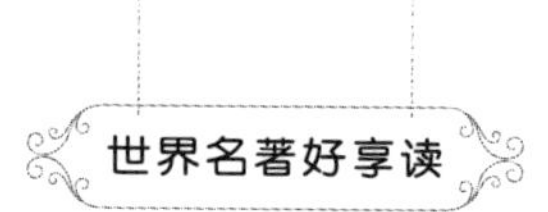

猫兴高采烈地带着他的战利品走到富丽堂皇的王宫前，殷切地要求面见国王。当他被召进宏伟的大殿时，他谨守礼仪，虔诚地深鞠一躬，说："陛下，我谨代表我的主人卡拉巴斯侯爵向您敬献他最美味的兔子。"没想到这只猫居然为他的主人编造了一个名字。

"告诉你的主人，"国王说，"我很感谢他的礼物。"

又一天，这只聪明的猫静静地潜伏在郁郁葱葱的麦田里，伺机等待捕食。他将麻袋张开，当两只鹧鸪扑棱着翅膀慌里慌张飞进去后，他嗖地蹿了起来，麻利地系上袋口，将它们收入囊中。然后他再次将战利品作为礼物送给了国王，和送兔子如出一辙，都说是自己的主人特意呈献的。国王非常满意，再次高兴地收下了两只鹧鸪，还特意给了他丰厚的赏赐。

两三个月以来，这只猫不断以他主人的名义为尊敬的国王送上各种各样的礼物。忽然有一天，他听说国王要带着公主外

R·H

出，沿河游玩，欣赏沿途的美丽风景。那可是世界上最温柔、美丽的公主哇。他筹谋再三，心中打定了主意后，对他的主人殷殷嘱咐道："如果尊敬的主人你能按我说的去做，我保证你能时来运转。你到时候只管到我指定的地方去洗澡，剩下的都交给我来办就好了。"

尽管不知猫葫芦里卖的什么药，但"卡拉巴斯侯爵"对他的建议仍旧是言听计从。所以当他在佯装洗澡时，一看到国王经过，便扑通一声跳了下去，那只猫见状便号啕大哭，声嘶力竭地喊道："救命啊，救命啊！卡拉巴斯侯爵落水了！"

这只猫的叫声吸引了国王的注意，他把头探出车外，想看看是哪里传来的声响，结果看到是经常送他礼物的猫，便立即命令卫兵火速将卡拉巴斯侯爵救上岸来。

卫兵们费尽周折才将这位衣衫不整、狼狈不堪的侯爵拉了上来，那只猫走到国王面前说，他的主人在洗澡时，一伙可恶的盗贼偷偷取走了他的衣服，尽管他的主人发现后大喊：“你们这伙坏蛋，快住手！”但盗贼还是将他的衣服给扔了。实际上，衣服被这只聪明的猫藏在了石头后面。国王听闻此事后，马上命人将自己最好的衣服拿来给猫的主人穿上。

国王看到穿上了华丽衣服的侯爵仪表堂堂，心中十分喜爱。猫的主人本来就眉清目秀，神采非凡，再加上有这么漂亮的衣服做陪衬，越发显得英俊潇洒，玉树临风，就连温柔美丽的公主殿下都对他一见倾心，内心爱慕不已。国王见到此情景，便盛情邀请他同车游玩，共赏美景。

这只策略满怀的聪明猫看到自己的计划初获成功，暗自窃喜，内心十分愉悦。接着，他走到正在路边辛勤割草的村民那里，轻声细语地劝他们说：“善良的村民们哪，如果你们告诉国王这不是卡拉巴斯侯爵的牧场的话，我恐怕你们会被剁成稀烂的肉酱啊。”

听闻此言，这些村民均不敢妄言，当国王问他们这是谁的牧场时，村民们异口同声地说：“是卡拉巴斯侯爵的。”看来这只狡猾的猫的恐吓卓有成效呢。

国王转头对卡拉巴斯侯爵说：“这可真是一块宝地呀。”

“如您所见，尊敬的陛下，”他对国王信誓旦旦地说，“这里几乎每年都会大丰收，风调雨顺，人民富足。”

R
H

这只猫继续在前面走，遇到了一群收庄稼的人，并对他们说：“善良的庄稼人哪，如果你告诉国王这些玉米不属于卡拉巴斯侯爵的话，我恐怕你们会被剁成稀烂的肉酱啊。”

不一会儿，国王路经此地，他好奇地问这片玉米地属于谁。

收割的人们异口同声地说：“这里属于卡拉巴斯侯爵。”国王听后非常开心，一再向侯爵表示祝贺，赞叹侯爵真是太富有了！

那只猫总是走在前面，对他遇到的所有人都说了同样的话。毫不意外，一路上国王对于卡拉巴斯侯爵的富有惊叹不已。最后，这只猫来到一座恢宏的宫殿，这里住着一个凶狠的食人魔，他拥有最丰富的宝藏。刚才一路经过的那些草场和玉米田等，其实都是食人魔的领地。猫还通过刚才那些人详细了解了食人魔的一些事情，包括他有什么了不得的本事等。

猫信步走入食人魔恢宏的宫殿，他坚持要去拜见这个食人魔，并且信誓旦旦地说："既然从他的城堡路过，如果不前去拜访，那是多么不礼貌哇。"

食人魔彬彬有礼地接见了他，还给他赐座。

"我听说，"猫对食人魔说，"您本领通天，能将自己随意变成各种想变的动物，比如说狮子呀，大象啊什么的，这些是真的吗？"

R H

“当然是真的啦。”食人魔很认真地回答，“这样吧，我现在变头狮子给你瞧瞧。”

当看到食人魔真的变成了一头雄狮，威风凛凛地站在自己面前时，猫心中大惊，忍不住赶忙跳上屋梁，暂时躲避一下。不过，这个举动现在对这只猫来说，可是稍稍有点儿困难和危险，因为穿着那双靴子可不适合做这么高难度的动作，何况还得在房梁上行走。

不久，食人魔恢复了原形，猫也定了定神，假装镇定地从房梁上跳了下来。但是表面上猫依然表现出非常害怕的样子。

“我还听说，”猫喘着粗气小声说，“您还能将自己变成个头儿很小的动物，像老鼠之类的。但是，这个我可不相信，您这样高大的身材，怎么可能变得那么小呢！”

“什么？你竟然不相信！”食人魔焦躁地大声嚎叫道，“你等着瞧！”话音刚落，他就变成了一只小老鼠，身姿矫健，在

地板上不停地跑来跑去。猫见状，毫不迟疑地一下子扑了过去，一口将老鼠吞进了肚子里。

就在这时，国王也已经来到了城堡外面。猫听到马车过吊桥的吱嘎声，立即跑出来，笑容可掬地迎接国王：“尊敬的国王陛下，欢迎您来到卡拉巴斯侯爵的城堡，您的到来真是令这里蓬荜生辉呀！”

“什么?！”国王看到侯爵坐拥如此气派的城堡，不禁惊呼起来，“连这座城堡也是你的呀？这可是我见过的最美丽的建筑了。我们快进去欣赏一下吧！”

侯爵挽着年轻美丽的公主，跟随国王一起走进了大厅。里面已经摆好了一桌丰盛的筵席，各种餐具一应俱全，都是些雕刻精美的金银器皿。其实这些都是食人魔为他的朋友们准备的，可是，他的朋友们见国王在此，谁也没敢进来。现在，国王也像他的女儿一样，被侯爵的出众品质所吸引了。

国王见公主已经完全沉浸在对卡拉巴斯侯爵的爱慕中了，再加上他又是那么富有，几杯酒下肚，国王趁着高兴就对侯爵说："亲爱的侯爵，你是否愿意做我的女婿呢？"

侯爵朝国王深深地鞠了一躬，无比荣幸地接受了国王的美意。就在当天，他和公主举行了婚礼。

从此以后，猫也成了大人物，他已经不再去捕捉老鼠了，即便偶然兴致一来去捕捉老鼠，也不过是他在茶余饭后的消遣而已。

睡美人

从前，在一个遥远的国度，国王和王后和和美美地快乐生活着，唯一美中不足的是他们没有自己的孩子。他们四处寻医问药、祭祀神明，尝试了几乎所有的办法都无法如愿以偿。

经过无数个日日夜夜的长时间等待，终于有一天，王后怀孕了，他们的女儿诞生了。在洗礼仪式那天，国王请来了七位仙女——全国所有的仙女，请她们为自己珍爱的女儿送上最美好的祝愿。

仪式结束后，国王安排了盛大的宴会来招待和感谢仙女们。宴会菜肴鲜美，餐具亦是十分奢华，汤匙和刀叉都由纯金手工打造，座椅也由色彩绚烂的石头精心制作而成。

然而这时，有一位老仙女缓缓走了进来，她并没有收到邀请，因为她已远离世俗近五十年，人们都以为她已经去世或是着魔了。

国王立刻热情地邀请她入座，但却不能以招待其他仙女的规格待之，因为他只准备了七位仙女的专座。老仙女觉得自己受到了不公平的待遇。

一位年轻的小仙女就坐在她的旁边，听到了老仙女的连连抱怨。小仙女非常机警，觉得她可能会对小公主不利。所以，当老仙女起身离桌时，她快速地藏到了窗帘后面，这样的话，就算老仙女对小公主施以诅咒，她也能在最后时刻尽力拯救小公主。

与此同时，所有的仙女开始依次为小公主送上自己的祝福：

第一位仙女祝愿她拥有世界上最美丽的容颜；

第二位仙女祝愿她有天使般的智慧；

第三位仙女祝福她做任何事都仪态万方；

第四位仙女许给她夜莺般的歌喉；

第五位仙女赐予她宛如风吹花海般动人的舞姿；

第六位仙女祝愿她精通所有乐器。

然后，轮到那位老仙女了，她走上前去，摇了摇头，似乎满怀怒火，她许下诅咒：这位公主，将在她十五岁那年被一个纺锤扎伤，最后死去。

所有的人都大惊失色。

这时，年轻的仙女从窗帘后走出来，大声说道：“尊敬的国王和王后，请放心，尽管我不能解除小公主的诅咒，但她不会在这场劫难中死去。她会被纺锤弄伤，但不会死，只是要陷入沉睡，大约要一百年之久。直到她命中注定的王子来拯救她，才会苏醒。”

国王心急如焚却又无可奈何，为了让自己来之不易的宝贝女儿能免遭不幸，他传下命令，要求自此以后人人禁止使用纺锤来纺纱，违者处死——甚至在家中私藏纺锤也是罪责难免。

可这邪恶的诅咒还是如期应验了。在公主十五岁的一天，国王和王后出门游玩，她独自一个人待在王宫里。小公主精力充沛，好奇地在宫里到处穿来穿去，每个房间都一一查看，最后，公主走到了钟楼顶上一个寂静的小房间里，一位老妇人正坐在里面忙着纺纱。

这位老妇人是不知道国王下的禁令，还是老仙女变的，我们都不得而知。

“老奶奶，您这是在干什么呢？”单纯的公主好奇地问道。

“可爱的好孩子，我这是在纺纱呢。”这位老妇人低声回答道。

天真的公主真心感叹道：“啊！纺纱好神奇呀，我能看看您是怎么做的吗？”

说着，公主走上前去拿起纺锤想试一试纺纱，可手刚接触它，她就突然倒在地上没了知觉，老仙女的恶毒诅咒应验了。

老妇人大吃一惊，大声叫人来帮忙，大家一拥而上：有人往公主脸上泼水；有人解开她的衣带透气；有人拍打她的手面；

有人则用“匈牙利之水”轻轻按揉她的太阳穴。但所有的办法都于事无补。

当年那恶毒的诅咒降临在可爱的公主身上时，那位曾挺身而出，勇敢救下她性命的善良仙女正在距离王国一万两千里格[①]之外的马塔金王国，当年正是她救下公主，但无奈只得让公主承受百年沉睡之苦，好在她立刻从一个小矮人那里得知了这一消息。这个小矮人有一双七里格长的靴子，穿上这双神奇的靴子，每跨一步，就是七里格的距离。这位仙女闻讯后立即出发，她乘着火龙战车，约一个小时就赶到了王宫。

① 里格，一种长度单位，在陆地上时，一里格通常被认为是三英里，约五千米。

仙女扶着国王的手从火龙战车上匆匆跃下，对他的安排极为赞赏。仙女很有远见，她想公主这一睡就是一百年，当她苏醒时，她应感到昨日依旧而非孤身一人沉睡于这深宫大院里。于是，她对王宫里除了国王和王后外的所有人都施了法——家庭教师、宫女、女佣、绅士、官员、管家、厨师、帮厨、刷碗工、侍卫、保镖、侍从还有男仆；就连马厩里的矫健的马、书

桌上凌乱的纸张、门外沉睡的狗以及放在床上的小纺锤都被施了魔法。

随着她对他们施法，所有的一切也立刻陷入了沉睡，所有人都会在梦中等待着公主苏醒后的召唤。不论是炉里的炽热的火焰，还是那些鹧鸪、野鸡，宫殿里的一切都已经进入了沉睡的状态。

所有的事情顷刻完成，仙女们施法可从不拖泥带水。

国王和王后伤心地轻轻亲吻了沉睡中的女儿，轻轻抚摸了她玫瑰般的脸庞，一步三回头地离开了这片伤心之地。国王命令任何人不得接近此地。不久，王宫的四周长出了一道蒺藜组成的大篱笆，年复一年，它们越长越高，越长越茂密，最后竟将整座宫殿遮得严严实实，甚至连屋顶和烟囱也看不见了。周围的路也找不到了。没人会怀疑仙女无双的法术，此刻，美丽的公主正在静静地酣睡，对人们的好奇一无所知。

一百年光阴如梭，转瞬即逝，转眼间另一个王国的王子登基，他在城郊打猎时看到了丛林里的塔尖，便向周围的人打听其缘由。大家也只是根据道听途说的内容来回答他，说那座城堡是经常闹鬼的地方，所有的男女巫师都会在那里度过安息日，举行周会。

最后大家一致认为里面住着一个恶魔，他吃掉所有进入自己领地的小孩儿，没有人能侥幸逃脱，因为只有他知道丛林里的路。

王子对此也是摸不着头脑，不知道该相信谁。这时，一位老人对他说：

“尊敬的王子殿下，我爷爷曾把这里的事情告诉过我父亲，我父亲五十年前又讲给了我：城堡里居住着一位善良的公主，她的美貌倾国倾城，但她遭受诅咒要沉睡百年，除非遇到命中注定的王子才能醒来。”

年轻气盛的王子听到后非常兴奋，他不假思索地决定要由自己来揭开谜底。当然这也可能出于王子与生俱来的傲气和他对公主美貌的向往，因此他决定深入丛林，一探究竟。

也许他就是公主命中注定的那个人吧，当王子进入丛林后，葱郁的大树、茂密的灌木和刺人的荆棘都自动为他让开了路。在那片林荫大道的尽头，他走进了城堡的入口。现在他孤身一人，因为随着他在前面走，身后树篱又缓缓地密密实实地合拢在了一起，浩浩荡荡的随从队伍自然都被挡在了外面。

然而，勇敢的王子没有轻言放弃。他稳步走进宽敞的外院，里面的一切仿佛冰冻一般，即使最耐寒的人在这里也能感受到几分森森的凉意。庭院深深，万籁俱寂，死亡的气息游走在每一处角落。这里只有人和动物僵硬的躯体，他们看起来像死了一般。但是王子看到卫兵身上玫瑰色的蕾丝花边和他们泛红的鼻子时，便知道他们都只是陷入了沉睡，他们的高脚杯里甚至还残留着没喝完的红酒。

然后，王子缓缓穿过铺满精美大理石的深深院落，稳步走上层层楼梯，进入了侍卫们的房间。他们排列着整齐的队伍站着，戟还扛在肩上，如雷的鼾声不绝于耳。而后他又看了几个房间，人们有的站立，有的坐着，但都睡着了。

最后，王子走进了一个全部镀金的房间。屋内的窗帘都拉开了，阳光穿过玻璃轻轻洒落在床上。此时此刻，他看到了世界上最动人的画面——一位芳龄十五六岁的公主静静地躺在床上，她的面孔是那么美丽，仿佛是神圣的光芒照进了心田。

内心狂喜的王子慢慢走近公主的床榻旁，半跪着深情地凝望可人的公主。就在此时，诅咒在爱的感召下解除了，公主醒来了。她微笑着看着王子，轻启朱唇，细声问道："我的王子，真的是你吗？我在这里已经等你很久了。"

王子为这些话欣喜不已，他回答道："美丽的公主哇，我爱你胜过这世间的一切。"公主和王子两情相悦，大有相见恨晚之意，有说不完的话，两个人开开心心地聊了四个小时，仍意犹未尽。

与此同时，仙女的魔法也解除了，王宫里的一切又恢复如常。首席女官快要饿死了，她很不耐烦地大声告诉公主晚膳已经备好。

王子深情地握着公主的手，对她说："你穿着这美丽的衣裳就像我的曾祖母一样高贵动人。"

王宫里的人们为他俩在金碧辉煌的大厅里举行了盛大的婚宴。尽管乐师们已经沉睡百年，但他们还是用小提琴与簧箫合奏出古老而动听的乐曲。宴会后，王公贵族们在城堡的礼堂见证了王子与公主的婚礼。从此，王子和公主幸福地生活在一起。

惠廷顿和他的猫

在著名的国王爱德华三世统治时期，有一个可怜的小男孩儿名叫迪克·惠廷顿。在他年幼时，他的父亲和母亲就相继离他而去，所以他对他们几乎没有什么印象。

父母身故后，只留下了这个衣衫褴褛的小家伙，像一匹小野马一样在村庄里跑来跑去。可怜的迪克，他年纪太小了，所以也干不了什么活儿，因此日子过得就特别苦。他晚饭吃得很少，有时候早餐也没着落。村子里的乡亲们也都很穷，以前也仅仅用一些土豆皮来接济他，偶尔会给他一些已经变得又干又硬的面包。

迪克·惠廷顿是一个非常机敏的男孩儿，他总是仔细地倾听着人们津津乐道的一切事情。在周日，他一定会到附近的农民那里去，在牧师到来之前，倾听他们坐在教堂墓地的墓碑旁海阔天空地交谈；几乎每周，你可能都会看到小迪克靠在酒馆的牌子旁，从紧邻不远的集镇而来的形形色色的人们会在此停下来喝杯小酒；当理发店的门开着时，迪克就可以倾听理发店中所有顾客七嘴八舌地谈论各种新闻消息。

就是以这种方式，迪克听到了许多关于伦敦的奇妙事情。无知的人们认为，住在伦敦的都是上流社会的绅士和女士，那儿歌舞升平、夜夜笙歌，所有的街道都用金灿灿的黄金铺就。

有一天，当迪克站在路标旁时，一辆豪华的马车奔驰而来，拉车的八匹骏马头部全都挂着铃铛，一路叮叮咚咚地穿村而过。迪克觉得这驾马车肯定是到美丽的城市伦敦去的，于是他鼓起了勇气，请求车夫让他跟随马车一起走。车夫听说可怜的迪克父母双亡，再一看他那身破破烂烂的衣服，认为世上没有比他生活得更糟糕的人了，因此同情心油然而生。

车夫告诉迪克，如果他愿意可以一同前去，于是他们驾着这辆豪华的马车一起出发了。

我无法想象这一路小迪克是如何费尽心思找到食物和水的，也无法想象他如何度过这漫漫路途，也不知道晚上他如何才能

找到一个容身之处躺下来安眠片刻。可能他途经的一些市镇上有些心地善良的人见他如此可怜，会给他一些食物；又或许车夫会让他晚上进入马车里，躺在箱子或大件包裹上勉强打个小盹儿。

然而，迪克安全地抵达了伦敦。他心情十分激动，急切地想要去看看那铺满金子的街道——我担心他甚至都没有停下片刻来衷心地感谢一下那位善良的车夫。他以最快的速度跑开了，跑向那他认为条条都用金子铺就的街道。迪克曾经三次在村子里看到过基尼[①]，他曾记得一基尼能换来那么一大笔零钱呢。所以他认为什么事都不需要做，只要从路面挖一点点金子就完全可以得到他想要的一切。

① 基尼：英国旧时金币名。

小迪克一直跑着，直到他感到筋疲力尽，而他完全忘了他的那个车夫朋友。但最后，他发现天已经变黑，而他去的所有街道却满是泥土，丝毫不见黄金的踪影，他伤心地蜷缩在一个黑暗的角落里低声啜泣，哭着哭着就睡着了。

小迪克整夜都待在街上，第二天一大早，他被饥肠辘辘的感觉唤醒，在大街上漫无目的地走着，低声央求每个他见到的人给他半个便士，好让他不再挨饿。但完全没有人理会他，只有两三个人给了他半便士。这可怜的孩子是如此虚弱，希望能有点儿食物来充饥。

最后，一位好心的先生看到他如此饥饿，实在于心不忍，对迪克说："你为什么不上班，小伙子？"

"要是能找到工作，我肯定去。"迪克回答说。

"如果你愿意的话，跟我来吧。"这位先生说着，把他带到了一个干草场，迪克在那儿得到了一份工作。迪克对得之不易的工作非常珍惜，他干得很卖力，非常高兴地住在那儿，直到草场的草都快被割完了。

可是此时，他发现自己还是跟以前一样贫穷，还是随时都有可能被饿死。他饥寒交迫，无奈之下在一户人家门前躺下，这家的主人是富商菲茨沃伦先生。

这个时候，富商家的厨娘看到了迪克，她的脾气非常暴躁，而此时她正在忙于给主人和夫人准备主题晚宴，所以她大声对可怜的迪克叫道："你在那里做什么？滚到一边去，你这个小无赖！你要是再不走开，我就把这盆热水泼到你身上！"

就在这时，恰巧菲茨沃伦先生回家吃晚饭。当他看到这个衣衫褴褛、浑身恶臭的小男孩儿正躺在自家门口时，十分同情地问道："你为什么躺在那里，我可怜的孩子？你看起来年龄不小哇，能工作了呀，恐怕你是个懒惰的人吧？"

"我不是懒惰的人！真的，尊敬的阁下，"迪克信誓旦旦对他说，"我真的不是懒惰的人，我会认真地用心工作的。但我不认识任何人，找不到工作，我太讨厌缺少食物的感觉了，我想找到工作。"

"可怜的小家伙，快站起来，让我看看你究竟得了什么病。"

迪克尝试着站起来，但他身体太虚弱了，刚缓缓站起身就又咕咚倒在了地上。他可是已经三天三夜水米不沾牙了，身体孱弱到没有一丝力气，想要在街上跑来跑去已不可能，因此连向街上的人乞求半个便士也成了痴心妄想。于是好心的富商将他带进家里，招待他享用了晚饭，然后让他帮着厨娘做一些杂活。

小迪克住在如此纯善的富裕人家中，生活得无比幸福快乐，美中不足的是那位坏脾气的厨娘总是找碴儿，从早晨到晚上一直对他骂骂咧咧个不停。她还喜欢对可怜的小迪克施以拳脚，当可怜的迪克的头部和肩膀用扫帚无处可打时，她就用其他任何触手可及的东西将迪克狠揍一顿。最后，她对迪克的虐待被菲茨沃伦先生的女儿爱丽丝发现了，她警告厨娘对迪克好点儿，不然就辞退她。

除了坏脾气的厨娘，迪克还要应付另外一件痛苦的事。他的床放在一个阁楼上，那里的地板和墙上有许多洞，每天晚上，他都被大小老鼠折磨得苦不堪言。

有一天，他帮一位先生擦鞋得到了一便士零钱，迪克觉得自己应该买一只猫一起生活。第二天，他在街上看到一个抱着猫的女孩儿，轻声问她是否愿意以一便士把猫卖给自己。女孩儿很快答应了，并且信誓旦旦地告诉他，这只猫可是一个强悍的捕鼠能手。

迪克分外小心地把他的猫藏在阁楼上，总是悄悄地把自己的一部分晚餐分给它吃。在接下来的一段时间里果真没有鼠患了，所以迪克终于能每天晚上美美地睡个安稳觉了。

之后不久，他的主人有一艘船准备起航去远方做买卖，他认为所有的仆人应该像他一样有一些交好运的机会，于是把他们悉数召集到客厅，让他们自己选一些货物交给船长去售卖。

所有的仆人都精心挑选了一些自己认为有利可图的物品，

只有可怜的迪克除外——他口袋里空空如也，没有任何可以拿去交易的东西。

为此，他没有同其他人一起进入客厅。但爱丽丝小姐猜到了事情的缘由，并把他偷偷叫到一旁。她热心地对迪克说，她原本想从自己的钱里给他留出一部分，但是她父亲告诉她这可不行，必须是迪克自己的东西才行。

当迪克听到这个消息的时候，仔细想了一想，他说自己只有一只从街上的小女孩儿那里花区区一便士买来的小猫。

“把你的猫带去，我的好伙计，”菲茨沃伦先生吩咐道，“那就把你的猫带去吧。”

迪克缓缓走上楼，眼含热泪地把自己的小猫抱了下来，亲手将它交给了船长。他说自己从现在开始又要被老鼠搅得夜夜难以入睡了。

所有的同伴都笑了。只有爱丽丝小姐觉得迪克十分可怜，于是给了他一些钱，让他去另买一只猫。

这次事件以及之前发生的许多事都不难看出，爱丽丝小姐对迪克非常友好，这使得坏脾气的厨娘十分嫉妒可怜的迪克，对他比以前更加粗鲁了，总是嘲笑他说他把自己心爱的猫扔到了大海上。她还夹枪带棒地问他是不是自己暗暗在心底里打着如意算盘，如果他的猫能卖到一个好价钱，就用这钱买一根棍子来揍他自己。

最后，可怜的迪克再也不能忍受这种虐待了，他觉得自己应该逃离这个是非之地。所以他收拾了仅有的一点儿行李，在11月1日万圣节的一大早就出发离开了。他一直走到荷洛威，才在那里的一块石头上坐下来休息（如今被称为惠廷顿石），并开始思考接下来哪条路才是他前进的方向。

正当他犹豫不决该何去何从的时候，教堂的钟当当敲响了六声，他仿佛听到这声音似乎在对他说：

“尊敬的伦敦市长阁下，快快回头吧！”

“伦敦市长！”他自言自语道，“为什么不呢？如果我成长为一个男人后，能当上伦敦市长，终日乘着漂亮的马车，此时还有什么无法忍受的呢！好吧，我还是回去吧，如果我最终能当上伦敦市的市长，我会甘心忍受厨娘的拳打脚踢。”

迪克回来了，很幸运的是老厨娘转身下楼前，他已经回到家里开始干活儿了。

与此同时，载着猫的船在海上颠簸了许久，最后被风吹到了巴巴里海岸，这里居住着英国人之前从未听说过的摩尔人。

成群结队的人拥来参观这些拥有和他们不同肤色的水手，并且待他们十分友好。慢慢变熟以后，他们十分热心地来购买他们随船携带的货物。

船长看到这种情况，挑了一些上等货物送给了当地的国王。国王非常喜欢，开心至极，就邀请船长去自己的宫殿做客，并按照该国的习俗安置他们到了应到之处。

华丽的地毯上镶着金色和银色的花朵，国王和王后在宫殿的上首落座。盛大的晚宴开始了，桌上摆满了盘盘碟碟，都是晚餐所食用的各色菜肴。他们还没落座多久，许多老鼠就毫不客气地冲了进来，它们毫不避忌地坦然享用着美食，个个吃得满嘴流油。船长惊讶极了，转身问旁边的贵族们："难道你们不认为这些畜生很讨人厌吗？"

“哎呀，这是当然啦！”贵族们纷纷抱怨道，“太讨厌了，如果能除掉它们，国王愿意献出一半的财产。如你所见，这些老鼠不仅可以肆无忌惮地毁掉晚宴，它们还在卧室里袭击国王呢！因为害怕老鼠捣乱，国王睡觉时，旁边必须得有人看守着。”

船长听到后高兴得差点儿跳了起来，他想起了可怜的迪克·惠廷顿和他的猫，于是他告诉国王船上有一样东西可以快速除掉这些老鼠。听到这个好消息，国王的心激动地怦怦直跳，兴奋得连头巾都掉了下来。

“快把那样东西给我！”他迫不及待地催促道，“宫殿里的这些小畜生真是太烦人了，如果那东西真有你说的那样厉害，我愿意用装满一船的财宝来交换它。”

船长听到此番话后，紧紧抓住这次机会，大力夸赞猫小姐的种种好处。他告诉国王，他们万分不舍把小猫贡献出来，让小猫离开他们的船，因为那样老鼠就会破坏船上的货物。但是为了尊敬的国王陛下，他非常愿意献出。

“快去取，快去取！”王后喊道，“我已经迫不及待地想看看这到底是何种神奇的动物了。”

当船长返回货船时，这边另一顿晚宴也准备就绪了。他抱着小猫抵达宫殿时，豪华的餐桌上已满是老鼠。

小猫一看到可恶的老鼠，顿时精神一振，嗖的一声就从船长怀里跳了下来，风一样向成群的老鼠扑去，不一会儿，成堆的老鼠就纷纷丧生于猫的利爪之下。剩下的一些老鼠惊恐不已，慌里慌张地窜回了自己的洞里。

国王和王后看到自己一向束手无策的敌人被打败了，十分高兴，争相想瞧瞧这只勇猛的小猫。船长轻声呼唤：“猫咪，猫咪，猫咪！”可爱的小猫就来到了他的面前。

随后，船长把小猫呈献给王后，王后一开始还有点儿害怕，不敢碰这只击败了老鼠大军的小动物。然而，当船长抚摸着猫呼唤“猫咪，猫咪”时，王后还是鼓足勇气，伸手抚摸了小猫，用她充满爱意的语言呼唤着小猫。船长把小猫放在王后的膝盖上，小猫玩着王后的手指，喵喵呜呜地叫着，不一会儿，就睡着了。

国王目睹了猫咪的英雄事迹后，就和船长商量，把整条船的货物买下来，并且以十倍于其他所有货物的价钱买下了小猫。

船长随后离开皇家聚会，顺风顺水地起航，一路无虞地返回了伦敦。

一天早上，天刚蒙蒙亮，菲茨沃伦先生就来到账房清点现金，他刚在办公桌旁坐下，就听见有人咚咚地敲门。

“谁在那儿？”菲茨沃伦先生高声问道。

“一个朋友。”门外的人大声回答说，“我给您带来了‘独角兽’号货船的消息。”

菲茨沃伦先生连忙从椅子上起身，赶紧打开门一看，门外站着船长和他的部下，他们抬着一大箱子珠宝，手里还拿着一张货物清单。菲茨沃伦先生瞪大了双眼，为商船满载而归而感谢上帝。

然后，他们向他讲述了迪克的猫的故事，并把国王和王后奖赏的珠宝逐一拿给他看。当菲茨沃伦听到此消息后，他大喊着吩咐仆人道：

“赶紧去把迪克找来，让我们尽快把这件喜事告诉他。从现在开始，就要尊称他为惠廷顿先生了。”

菲茨沃伦先生此刻表现出了一个善良人的品质，因为当他的一些仆人说如此多的财宝对迪克来说太多了时，他义正词严地说："我不能克扣迪克一分钱。"

然后他立马吩咐人去找迪克，而迪克此时正在厨房洗罐子呢，浑身弄得脏兮兮的。

菲茨沃伦先生命人拿来一把椅子让他坐下，一开始的时候，迪克心想大家是不是又要笑话他，同时恳求他们如果对自己的工作尚且满意的话，就不要捉弄自己。

"实际上，惠廷顿先生，"菲茨沃伦郑重地说，"我们想真诚地祝贺您，船长给您带回来了好消息，他把您的猫卖给了巴巴里的国王，他给您带回了比我拥有的还多的财富，我希望您能好好享受它！"

菲茨沃伦先生让人把带回的财宝一一打开给他们看，并说："惠廷顿先生，您只管找一个安全之地保管好它就行。"

迪克都不知道该如何表达自己内心的喜悦了。最后，迪克却把这一切全都摆在主人面前，请他挑选，以此来感谢先生对他的恩情。

"不，不！"菲茨沃伦断然拒绝道，"这一切都是你自己的，你只管好好享用。"

迪克又把珠宝送给他的女主人，她们不愿意接受，同时她们都为迪克的成功而高兴不已。迪克不忍心自己独自享用这些珠宝，他送了一些给船长、仆人，甚至还有那个坏脾气的老厨娘。

菲茨沃伦先生建议他派人找一些手艺人来给他打扮打扮，他还建议惠廷顿先生住到自己家里，直到他找到一个更好的住处。

惠廷顿把脸洗得干干净净的，头发微卷，礼帽高耸，穿着套装，摇身一变，俨然成为了一个帅气的上流社会小伙子，甚至比任何来到菲茨沃伦先生家里的年轻人都帅气。以前总是很同情迪克的爱丽丝小姐，现在对他的看法也大不相同了，因为现在惠廷顿总是尽力满足她，送给她最精致的礼物。

菲茨沃伦先生察觉到了两人之间的爱慕之情，就提议他们结婚。二人两情相悦，爽快地答应了。婚礼吉日很快就定了下来。来参加盛大婚礼的有市长、市议员、警长，伦敦所有的富商名流悉数到场，他们都受到了热情的款待。

最后，惠廷顿和他的夫人非常幸福地生活在一起。他们后来孕育了好几个孩子。他曾担任伦敦的郡长，也是伦敦的市长，还被亨利五世授予爵士爵位。

迪克·惠廷顿爵士怀抱爱猫的雕塑直到 1780 年才被发现，它矗立在纽盖特监狱街旁。

译后记

鹅妈妈（Mother Goose）被认为是鹅妈妈童谣和童话的原作者，然而至今尚没有哪一个作家被认定为就是鹅妈妈。

《鹅妈妈童谣与童话故事集》由亨利·阿尔特姆斯采编整理，选取了29个脍炙人口的西方民间童谣和童话故事，集结成书。与夏尔·贝洛的《鹅妈妈的故事》不同，本书把童谣与故事结合起来，配以全新的插图与翻译，能给小读者们带来不一样的阅读体验。

书的前半部分精选了一些朗朗上口的童谣，行文优美，富有韵律，便于吟诵。这些童谣流传久远，有的长达数百年，在西方家庭耳熟能详。

童谣中有各种鲜活的人物形象和精彩故事：美丽的水仙姑娘裙裾飞扬、风采非凡；花园里辛勤耕种的玛丽；放羊的英勇小勇士布鲁尔；还有催促孩子们早些进入梦乡的威利·温克尔；愚人村里憨厚无忧的三学霸；还有那弄丢了羊羔的小羊倌，一肚子惆怅不知对谁讲；更有杰克和乔安相知相爱；可爱的小动物们在船上担当实职，船儿扬帆待起航；还有那可怜的知更鸟，鸟儿们纷纷来送别，为他献出自己的一份力量；杰克的小屋中，一包包麦芽引出了很多故事，小小老鼠、猫咪、大狗、大牛、少女、神父陆续登场，最后杰克终于娶到自己的美娇娘；还有那小小青蛙与鼠小姐间略显凄美的故事……希望中国的父母和孩子们能由此领略到鹅妈妈童谣独特的魅力。

书的后半部分精选了部分鹅妈妈童话故事，这些民间故事最初由夏尔·贝洛收集并进行重新创作，于1697年出版，一经问世就立即受到孩子们的热烈欢迎，成为法兰西家喻户晓的儿童经典读物。这些故事后来还传到英国，几个世纪以来，它像一根神奇的魔法棒，点亮了无数孩子五彩斑斓的梦境。

这些传世经典已成为无数人美好童年的一部分：灰姑娘的经历告诉我们要永葆善良之心，善终有善报；《杰克与豆茎》反映了人性中的纠结，但最终亲情、爱、温暖才是生活的主旋律；《小红帽》则是一个让人无比哀伤的故事，单纯的小红帽没有辨别能力，被狡猾的大灰狼欺骗，最终丧身狼腹，这告诉小读者们对陌生人要保持警惕心，不要被外表蒙蔽，保护好自己；《巨人杀手杰克》讲述了杰克一路斩杀巨人、除暴安良的故事，最后，他为自己积累了可观的财富，也因缘际会找到了自己的爱人。这个故事英雄色彩浓烈，彰显了好男儿的英雄情结，故事情节有趣，引人入胜……

亨利·阿尔特姆斯前所未有地将朗朗上口的鹅妈妈童谣与经典的鹅妈妈童话故事结合起来，编著了这本《鹅妈妈童谣与童话故事集》，直到现在仍算是一个创举。本书里的童谣会给孩子们带来愉悦，唤起他们美妙的想象；而引人入胜的童话故事则包含了深刻的哲理，给孩子们以美好品格的熏陶，使他们获益匪浅，这也正是我翻译这本书的初衷。

让我们打开这本有趣的书，一起来探索书中奇妙的世界吧！

张玉亮于青岛

2016 年 11 月 15 日

世界名著好享读（原版插画典藏版）

作品目录